EVANSTON PUBLIC LIBRARY
S0-BOB-711

CAMINO A CANÁ

Camino a Caná

El Mesías

Anne Rice

Traducción de Francisco Rodríguez de Lecea

Barcelona • Bogotá • Buenos Aires • Caracas • Madrid • México D.F. • Montevideo • Quito • Santiago de Chile

Título original: *Christ the Lord: The Road to Cana*

Traducción: Francisco Rodríguez de Lecea

1.ª edición: noviembre 2008

Bailén, 84 - 08009 Barcelona (España)
www.edicionesb.com

Printed in Spain
ISBN: 978-84-666-3905-7
Depósito legal: B. 40.946-2008

Impreso por LIBERDÚPLEX, S.L.U.
Ctra. BV 2249 Km 7,4 Polígono Torrentfondo
08791 - Sant Llorenç d'Hortons (Barcelona)

A Christopher Rice

Invocación.
En el nombre del Padre,
del Hijo,
y del Espíritu Santo.
Amén.

La verdad de la fe sólo puede ser preservada haciendo una teología de Jesucristo, y rehaciéndola una y otra vez.

KARL RAHNER

Oh Señor, Dios único, Dios trino, todo cuanto he dicho en estos libros es tuyo, para que quienes son tuyos comprendan; cuanto he dicho de mí solo, perdónalo Tú y perdónenlo los tuyos.

SAN AGUSTÍN

En el principio existía la Palabra, y la Palabra estaba con Dios, y la Palabra era Dios. Ella estaba en el principio con Dios. Todo se hizo por ella, y sin ella no se hizo nada de cuanto existe. En ella estaba la vida, y la vida era la luz de los hombres. Y la luz brilla en las tinieblas, y las tinieblas no la vencieron... En el mundo estaba, y el mundo fue hecho por ella, y el mundo no la conoció.

Evangelio según SAN JUAN

1

¿Quién es Cristo el Señor?

Los ángeles cantaron a su nacimiento. Magos de Oriente le llevaron regalos: oro, incienso y mirra. Le entregaron esos regalos a él, a su madre María y al hombre que decía ser su padre, José.

En el Templo, un anciano tomó al recién nacido en sus brazos. El anciano dijo al Señor mientras sostenía al bebé: «Será luz para iluminar a los gentiles y gloria de tu pueblo Israel.»

Mi madre me contó esas historias.

Eso ocurrió hace muchos años.

¿Es posible que Cristo el Señor sea un carpintero del pueblo de Nazaret, un hombre de treinta años de edad, de una familia de carpinteros, una familia de hombres y mujeres y niños que llena las diez habitaciones de una casa antigua y, en este invierno de sequía, de polvo inacabable, de rumores de disturbios en Judea, Cristo el Señor duerma bajo una manta de lana gastada, en una habitación con otros hombres, junto a un brasero que humea? ¿Es posible que en esa habitación, dormido, sueñe?

Sí. Sé que es posible. Yo soy Cristo el Señor. Lo sé.

Lo que debo saber, lo sé. Y lo que debo aprender, lo aprendo.

Y bajo esta piel, vivo y sudo y respiro y gimo. Me duelen los hombros. Mis ojos están secos por tantos días de temible sequía; por las largas caminatas hasta Séforis a través de los campos grises donde las semillas se queman al débil sol invernal porque las lluvias no llegan.

Yo soy Cristo el Señor. Lo sé. Otros lo saben también, pero lo que saben lo olvidan a menudo. Mi madre no ha dicho una sola palabra sobre ello durante años. Mi padre putativo, José, ya es viejo, tiene el pelo blanco y tendencia a divagar.

Yo nunca olvido.

Y cuando me duermo, a veces temo, porque los sueños no son mis amigos. Mis sueños son salvajes como helechos o como los repentinos vientos ardientes que soplan en los bien cultivados valles de Galilea.

Pero sueño, como sueñan todos los hombres.

Y esta noche, junto al brasero, con las manos y los pies fríos bajo mi manta, he soñado.

He soñado con una mujer próxima, una mujer mía, una mujer que se convirtió en una virgen que en el fácil tumulto de mis sueños se convirtió en mi Abigail.

He despertado. Me he sentado en la oscuridad. Todos los demás dormían aún, con la boca abierta, y en el brasero los carbones se habían deshecho en cenizas.

«Márchate, muchacha amada. Eso no debo conocerlo, y Cristo el Señor no conocerá lo que no quiere conocer... o lo que conocería únicamente a través de la forma de su ausencia.»

Ella no se marchará... eso no, la Abigail de mis sueños con el cabello suelto desparramado entre mis manos, como si el Señor la hubiera creado para mí en el Jardín del Edén.

No. Tal vez el Señor creó los sueños para un conocimiento como éste; o así se lo ha parecido a Cristo el Señor.

He saltado de mi jergón y, tan silenciosamente como he podido, he echado más carbón al brasero. Mis hermanos y sobrinos no se han movido. Santiago ha pasado la noche con su mujer fuera de casa, en la habitación que ambos comparten. Judas el Menor y José el Menor, padres ambos, han dormido aquí, separados de los bebés acurrucados junto a sus esposas. Y aquí dormían además los hijos de Santiago: Menahim, Isaac y Shabi, los tres juntos, desmadejados como muñecos.

He pasado delante de todos, uno tras otro, para sacar una túnica nueva del arcón, de lana olorosa a la luz del sol que la ha secado. Todo lo que hay en ese arcón está limpio.

He cogido la túnica y he salido de la casa. Una ráfaga de aire helado en el patio vacío. Crujidos de hojas rotas.

Y me he detenido un momento en la calle de guijarros y mirado a lo alto, al gran despliegue de estrellas brillantes más allá de los tejados.

Ese cielo frío, sin nubes, repleto de luces infinitesimales, me ha parecido hermoso por un instante. El corazón me dolía. Parecía mirarme, envolverme —con cariño, fijándose en mí— como una inmensa red tendida por una sola mano, ya no el inmenso vacío inevitable de la noche sobre la pequeña aldea dormida desparramada como cientos de otras por una ladera, entre cuevas lejanas repletas de huesos y campos sedientos, y bosques y olivares.

Yo estaba solo.

En algún lugar abajo de la colina, cerca de la plaza donde se instala el mercado ocasional, un hombre cantaba con voz bronca de borracho, y brillaba una chispa de luz en el umbral de la taberna también ocasional. Ecos de risas.

Pero por lo demás todo estaba en silencio, y no había ni una sola antorcha encendida.

La casa de Abigail, frente a la nuestra, estaba cerrada como todas las demás. Dentro Abigail, mi joven parienta, dormía junto a Ana la Muda, su dulce compañera, y las dos mujeres ancianas que la sirven, y ese hombre irritable, Shemayah, su padre.

Nazaret nunca tuvo una beldad. Yo he visto crecer generaciones de muchachas, todas frescas y agradables a la vista como flores silvestres. Los padres no quieren que sus hijas sean beldades. Pero ahora Nazaret tiene una beldad, y es Abigail. Ha rechazado a dos pretendientes, o lo ha hecho su padre en nombre de ella, y las mujeres de nuestra casa se preguntan muy en serio si la propia Abigail ha sabido alguna vez que esas personas la pretendían.

De repente me ha asaltado el pensamiento de que acaso muy pronto yo seré uno de los portadores de antorchas en su boda. Abigail tiene quince años. Podía haberse casado el año pasado, pero su padre la mantuvo encerrada. Shemayah es un hombre rico al que una cosa, y sólo una, hace feliz; y es su hija Abigail.

He caminado hasta la cima de la colina. Conozco a las familias que viven detrás de cada puerta. Conozco a los contados forasteros que van y vienen, uno de ellos acurrucado en un patio fuera de la casa del rabino, el otro en la azotea, donde duermen muchos incluso en invierno. Éste es un pueblo cotidiano, tranquilo, que no parece guardar ningún secreto.

He bajado por la ladera opuesta de la colina hasta llegar a la fuente, y a cada uno de mis pasos se levantaba el polvo, hasta hacerme toser.

Polvo y polvo y polvo.

Gracias, Padre del Universo, porque esta noche no ha

sido tan fría, no, no tan fría como podía haber sido, y envíanos la lluvia en el tiempo que Tú juzgues oportuno, porque sabes que la necesitamos.

Al pasar junto a la sinagoga, he oído la fuente antes de verla.

La fuente está casi seca, pero por ahora aún mana, y llena los dos grandes aljibes excavados en la roca en la ladera de la colina, y se dispersa en hilillos relucientes por el lecho de roca hasta el bosque lejano.

La hierba crece suave y fragante en ese lugar.

Sé que en menos de una hora llegarán las mujeres, unas para llenar vasijas y otras, las más pobres, para lavar sus ropas aquí lo mejor que puedan y ponerlas a secar sobre la roca.

Pero de momento la fuente es sólo mía.

Me he quitado la vieja túnica y la he dejado en el lecho del arroyo, donde muy pronto el agua la ha empapado y oscurecido. He dejado a un lado la túnica nueva y me he acercado al estanque. Con el hueco de las manos me he lavado en el agua fría, salpicándome el pelo, la cara, el pecho, dejando que corriera por mi espalda y mis piernas. Sí, arrojar los sueños como la túnica vieja, y lavarlos a conciencia. La mujer del sueño no tiene nombre ahora, ni voz, y qué era aquella punzada dolorosa cuando ella reía o alargaba la mano, bueno, pasó, se desvaneció como empieza a desvanecerse la noche misma, y también el polvo, el polvo sofocante, que ahora desaparece. Sólo queda el frío. Sólo el agua.

Me he tendido en la otra orilla, frente a la sinagoga. Los pájaros han empezado a piar, y como siempre me he perdido el momento exacto. Era un juego que me gustaba, intentar oír al primer pájaro, aquellos pájaros que sabían que llegaba el sol cuando nadie más lo sabía.

Las palmeras altas y gruesas que rodean la sinagoga descollaban sobre la masa informe de sombra. Las palmeras parecen medrar durante la sequía. No les importa que el polvo recubra todas sus ramas. Las palmeras crecen como si estuvieran acostumbradas a todas las estaciones.

El frío sólo estaba en el exterior. Creo que el latido de mi corazón mantenía el calor de mi cuerpo. Luego la primera luz empezó a despuntar sobre las tinieblas lejanas y yo tomé la túnica limpia y la deslicé por mi cabeza. Qué lujo la ropa nueva, su olor a limpio.

Me tendí de nuevo y dejé vagabundear mis pensamientos. Sentí la brisa antes que los árboles suspiraran con ella.

En lo alto de la colina hay una arboleda de olivos viejos a la que a veces me gusta ir solo. Pensé en ella. Qué bien tenderse en aquel lecho blando de hojas caídas y dormir todo el día.

Pero no es posible, no ahora con todo el trabajo que ha de hacerse y con el pueblo cargado de nuevas preocupaciones y rumores sobre un nuevo gobernador romano que ha de venir a Judea y que, hasta que se acostumbre a nosotros, como ha ocurrido con todos los anteriores, tendrá en vilo a todo el país, de un extremo a otro.

El país. Cuando digo el país me refiero a Judea y también a Galilea. Me refiero a la Tierra Santa, la tierra de Israel, el país de Dios. No importa que ese hombre no nos gobierne a nosotros. Gobierna sobre Judea y la Ciudad Santa en la que se alza el Templo, y por tanto bien podría ser nuestro rey en lugar de Herodes Antipas. Se entienden bien, los dos: Herodes Antipas, el rey de Galilea, y ese hombre nuevo, Poncio Pilatos, del que recelan nuestros hombres. Y en la otra orilla del Jordán gobierna Herodes Filipo, que también se entiende con ellos. Y así, el país lleva sometido mucho, mucho tiempo, y a Antipas y Filipo les conocemos, pero de Poncio Pilatos no sabemos nada, y las pocas informaciones que tenemos sobre él son malas.

¿Qué puede hacer al respecto un carpintero de Nazaret? Nada, pero cuando no llueve, cuando los hombres están ociosos e irritados y llenos de miedo, cuando la gente habla de una maldición del Cielo que agosta la hierba, y de agravios de los romanos, y de un emperador inquieto que ha marchado al exilio en señal de duelo por un hijo envenenado, cuando todo el mundo parece agitado por la necesidad de arrimar el hombro y empujar todos a una, bueno, en un momento así yo no puedo ir a la arboleda a pasar el día entero durmiendo.

La luz ya había llegado.

Una figura apareció entre las oscuras siluetas de las casas del pueblo y corrió colina abajo hacia mí, con una mano alzada.

Mi hermano Santiago. Hermano mayor, hijo de José y su primera mujer, que murió antes de que José se casara con mi madre. Inconfundible Santiago, con su pelo largo, anudado en la nuca y que cae sobre su espalda, y sus hombros estrechos y nerviosos, y la rapidez con que llega, Santiago el Nazarita, Santiago el capataz de nuestra cuadrilla de obreros, Santiago que ahora en la vejez de José ejerce como cabeza de familia.

Se paró en el otro extremo de la pequeña fuente, un reguero de piedras secas en su mayor parte, por cuyo centro fluye ahora la cinta brillante del agua, y pude imaginar sin esfuerzo la cara que ponía al mirarme.

Colocó el pie sobre una piedra grande y luego en otra, mientras cruzaba el arroyo hacia mí. Yo me incorporé y me puse en pie de un salto, una muestra habitual de respeto hacia mi hermano mayor.

—¿Qué estás haciendo aquí? —preguntó—. ¿Qué pasa contigo? ¿Por qué siempre me haces enfadar?

No contesté.

Él levantó las manos y miró los árboles y los campos en busca de una respuesta.

—¿Cuándo tomarás una esposa? —preguntó—. No, no me interrumpas, no levantes la mano para hacerme callar. No voy a callarme. ¿Cuándo tomarás una esposa? ¿Estás casado con este arroyo miserable, con su fría agua? Qué vas a hacer cuando se seque, y se secará este año, lo sabes.

Me reí sin mover los labios.

Él siguió:

—Hay dos hombres de tu edad en este pueblo que no se han casado aún. Uno está tullido y el otro es idiota, y todo el mundo lo sabe.

Tenía razón. He cumplido ya treinta años y no me he casado.

—¿Cuántas veces hemos hablado de esto, Santiago? —repuse.

Era hermoso contemplar cómo iba aumentando la luz, ver transformadas por el color las palmeras agrupadas alrededor de la sinagoga. Me pareció oír gritos lejanos, pero puede que fueran sólo los sonidos habituales de un pueblo que empieza un nuevo día.

—Dime qué es lo que de verdad te preocupa esta mañana —pregunté. Recogí la túnica empapada del arroyo y la extendí sobre la hierba para que se secara—. Cada año te pareces más a tu padre —añadí—, pero nunca has tenido su aspecto. Nunca tendrás su misma paz mental.

—Nací inquieto —reconoció con un encogimiento de hombros. Miró con ansiedad hacia el pueblo—. ¿Oyes eso?

—Oigo algo.

—Es la peor temporada de sequía que hemos sufrido. —Levantó los ojos al cielo—. Y hace frío, pero no lo bastante. Sabes que las cisternas están casi vacías. El *mikvah* está casi vacío. Y tú, tú eres una preocupación continua para mí, Yeshua, una preocupación continua. Vienes en la oscuridad aquí, al arroyo. Subes hasta esa arboleda a la que nadie se atreve a ir...

—Te equivocas en cuanto a ese bosque. Son piedras viejas que no significan nada.

Una vieja superstición local afirma que antiguamente en la arboleda ocurrió algo pagano y horrendo. Pero allí sólo hay las ruinas de un antiguo molino de aceite, piedras que se remontan a una época en la que Nazaret no era aún Nazaret.

—Ya te lo dije el año pasado, ¿recuerdas? Pero no quiero que estés preocupado, Santiago.

2

Esperé a que Santiago continuara.

Pero siguió callado, mirando hacia el pueblo.

Había gente que gritaba, mucha gente.

Me pasé los dedos por el pelo para alisarlo, me volví y miré.

A la luz del día, que ya había alcanzado su intensidad normal, vi un nutrido grupo de personas en la cima de la colina, hombres y niños que tropezaban y se empujaban unos a otros de modo que todo el tumulto avanzaba lentamente colina abajo, hacia nosotros.

Al margen del grupo apareció el rabino, el viejo Jacimus, y con él su joven sobrino Jasón. Pude ver que el rabino intentaba detener a la multitud, pero era arrastrado hacia el pie de la colina, hacia la sinagoga, por la avalancha de personas que bajó como un rebaño en estampida hasta detenerse en el claro, delante de las palmeras.

De pie en el montículo que se alza al otro lado del arroyo, pudimos verles con claridad.

Del medio del grupo sacaron a la fuerza a dos chicos jóvenes: Yitra bar Nahom y el hermano de Ana la Muda, ese al que todos llaman sencillamente el Huérfano.

El rabino subió a toda prisa los escalones de piedra que llevan a la parte superior de la sinagoga.

Yo quise adelantarme, pero Santiago me empujó con brusquedad hacia atrás.

—Tú te quedas al margen de esto —dijo.

Las palabras del rabino Jacimus se escucharon por encima de los ruidos y murmullos de la multitud.

—¡Hemos de celebrar un juicio aquí, os digo! —gritó—. Y quiero a los testigos, ¿dónde están los testigos? Que se adelanten los testigos y digan lo que han visto.

Yitra y el Huérfano estaban inmóviles aparte, como si un abismo les separara de los aldeanos furiosos, algunos de los cuales agitaban los puños mientras otros maldecían entre dientes, esos insultos que no necesitan palabras para expresar su significado.

De nuevo intenté adelantarme, y Santiago tiró de mí hacia atrás.

—Tú te quedas al margen de esto —repitió—. Sabía que iba a ocurrir.

—¿Qué? ¿De qué hablas? —pregunté.

La multitud prorrumpió en gritos y rugidos. Había dedos que señalaban.

—¡Abominación! —gritó alguien.

Yitra, el mayor de los dos acusados, miró desafiante a los que tenía frente a él. Era un buen chico al que todos querían, uno de los mejores en la escuela, y cuando fue presentado en el Templo el año anterior, el rabino estuvo orgulloso de sus respuestas a los maestros.

El Huérfano, menor que Yitra, estaba pálido de miedo, sus ojos negros abiertos de par en par, temblorosa la boca.

Jasón el sobrino del rabino, Jasón el escriba, subió también al techo de la sinagoga y repitió las declaraciones de su tío.

—Parad ahora mismo esta locura —dijo—. Habrá un juicio, como ordena la ley. Y vosotros los testigos, ¿dónde estáis? ¿Tenéis miedo vosotros, que habéis empezado esto?

La multitud ahogó su voz.

Colina abajo llegó a la carrera Nahom, el padre de Yitra, con su esposa y sus hijas. La multitud prorrumpió en una nueva retahíla de insultos e invectivas, agitó los puños, escupió. Pero Nahom se abrió paso a través de ella y miró a su hijo.

El rabino no había dejado de gritar que se detuvieran, pero ya no podíamos oírle.

Pareció que Nahom hablaba con su hijo, pero no pude oírle.

Y entonces la multitud llegó a un paroxismo de furia cuando Yitra se acercó, quizá sin pensar, y abrazó al Huérfano como para protegerlo.

Yo grité «¡No!», pero en el estruendo nadie me oyó. Corrí adelante.

Volaron piedras por el aire. La multitud era una masa hirviente, entre el silbido de las piedras lanzadas contra los chicos del claro.

Crucé entre la multitud en un intento de llegar hasta los dos muchachos, con Santiago a mis talones.

Pero todo había terminado.

El rabino rugió como un animal en la azotea de la sinagoga.

La multitud se alejó en silencio.

El rabino, con las manos crispadas sobre la boca, miró los montones de piedras, abajo. Jasón sacudió la cabeza y volvió la espalda.

Se oyó un grito inarticulado de la madre de Yitra, y luego los sollozos de sus hermanas. La gente había desaparecido. Unos corrían colina arriba, o a campo traviesa, o cruzaban el arroyo y escalaban el montículo de la otra orilla. Huían por donde buenamente podían.

Y entonces el rabino levantó los brazos.

—¡Corred, sí, huid de lo que acabáis de hacer! ¡Pero el Señor os ve desde lo alto! ¡El Señor de los Cielos está viendo esto! —Apretó los puños—. ¡Satanás reina en Nazaret! —exclamó—. ¡Corred, corred y avergonzaos de lo que habéis hecho, miserable horda sin ley!

Se llevó las manos a la cabeza y empezó a sollozar de forma más aparatosa que las mujeres de Yitra. Se doblegó hacia delante y Jasón lo sostuvo.

Nahom reunió entonces a las mujeres de Yitra y las forzó a alejarse. Nahom miró atrás una sola vez y tiró de su esposa colina arriba, y sus hijas se apresuraron detrás de él.

Sólo quedaron los rezagados, algunos braceros y trabajadores temporales, y los niños que atisbaban desde sus escondites bajo las palmeras o tras las puertas de las casas vecinas; y Santiago y yo, que mirábamos las piedras amontonadas y los dos chicos tendidos allí, juntos.

El brazo de Yitra seguía pasado por el hombro del Huérfano, la cabeza reclinada en su pecho. La sangre manaba de un corte en la cabeza del Huérfano. Los ojos de Yitra estaban semicerrados. No había sangre, excepto en su pelo.

La vida los había abandonado.

Oí ruido de pisadas, los últimos hombres se alejaban.

En el claro junto al cual estábamos apareció José acompañado por el anciano rabino Berejaiah, que apenas puede caminar, y otros hombres de pelo blanco que forman parte del consejo de ancianos del pueblo. También estaban mis tíos Cleofás y Alfeo. Ocuparon su lugar junto a José.

Todos parecían soñolientos, asustados, y luego asombrados.

José miraba fijamente a los chicos muertos.

—¿Cómo ha ocurrido esto? —susurró. Nos miró a Santiago y a mí.

Santiago suspiró; las lágrimas corrían por sus mejillas.

—Ha sido... así —susurró—. Tendríamos que... No pensé... —Agachó la cabeza.

Encima de nosotros, en la azotea, el rabino sollozaba en el hombro de su sobrino, que tenía la mirada perdida a lo lejos, hacia los campos abiertos; su rostro era la imagen de la desolación.

—¿Quién les acusó? —preguntó el tío Cleofás. Me miró a mí—. Yeshua, ¿quién les acusó?

José y el rabino Berejaiah repitieron la pregunta.

—No lo sé, padre —dije—. Me parece que los testigos no se han presentado.

Los sollozos agitaron al rabino.

Yo me acerqué a las piedras.

De nuevo Santiago tiró de mí hacia atrás, pero esta vez con más suavidad que antes.

—Por favor, Yeshua —murmuró.

Me quedé donde estaba.

Miré a los dos, tendidos allí como si fueran niños dormidos, entre las piedras lanzadas, y sin bastante sangre entre los dos, en realidad, sin la suficiente para que el Ángel de la Muerte se detuviera en su carrera al advertir su presencia.

3

Llegamos a la casa del rabino. Las puertas estaban abiertas. Jasón se había colocado de pie en el rincón más apartado, junto a un estante con libros, con los brazos cruzados. El anciano rabino Jacimus estaba sentado de espaldas a nosotros, cabizbajo ante su escritorio, de codos sobre un pergamino, la cabeza cubierta.

Se balanceaba a un lado y otro, y rezaba o leía, era imposible saberlo. Tal vez tampoco él lo sabía.

—«No te enfurezcas con los hombres porque no somos nada —murmuró—. Y no tomes en cuenta lo que hacemos, porque ¿qué somos nosotros?»

Me coloqué en silencio al lado de José y Santiago, esperando y escuchando. Cleofás estaba detrás de nosotros.

—«Porque considera que por Ti hemos entrado en este mundo, y no salimos de él por nuestra voluntad; ¿quién ha dicho nunca a su padre y su madre "Dadnos la vida"? ¿Y quién entra en los dominios de la Muerte diciendo "Recíbeme"? ¿Qué fuerza es la nuestra, Señor, para resistir vuestra Ira? ¿Qué somos para poder soportar vuestra Justicia?»

Se incorporó. Al advertir nuestra presencia, volvió a

sentarse y suspiró, y se giró un poco hacia nosotros mientras continuaba recitando su oración:

—Acogednos en vuestra Gracia, y sírvanos de socorro vuestro Perdón.

José repitió esas palabras en voz baja.

Por un momento dio la sensación de que todo aquello superaba la capacidad de aguante de Jasón, pero en sus ojos brillaba una pequeña luz de esperanza que muy pocas veces le había visto. Es un hombre hermoso de cabello negro, siempre bien vestido, y en el sabbat sus ropajes de lino desprenden a menudo un tenue aroma a incienso.

El rabino, que era un hombre joven cuando llegó por primera vez a Nazaret, está ahora encorvado por el peso de la edad, y su cabello es tan blanco como el de José o el de mis tíos. Nos miró como si no pudiéramos verle, como si no estuviéramos de pie esperándole, como si él simplemente nos observara desde un lugar oculto y meditara; por fin dijo con lentitud:

—¿Se los han llevado?

Se refería a los cuerpos de los dos chicos.

—Sí —respondió José—. Y también las piedras manchadas con su sangre. Se han llevado todo.

El rabino miró al cielo y suspiró.

—Ahora pertenecen a Azazel —dijo.

—No, pero se han ido —dijo José—. Y nosotros hemos venido a verte a ti. Sabemos lo mal que te sientes. ¿Qué quieres que hagamos? ¿Vamos a visitar a Nahom y a la madre del chico?

El rabino asintió.

—José, lo que quiero es que te quedes a consolarme —le dijo, sacudiendo la cabeza—, pero tú les perteneces a ellos. Nahom tiene hermanos en Judea. Debería irse allí con su familia. Nunca volverá a encontrar la paz en este lugar. José, dime, ¿por qué ha ocurrido esto?

Jasón intervino con su apasionamiento acostumbrado:

—No hace falta ir a Atenas ni a Roma para saber lo que estaban haciendo esos chicos —dijo—. ¿Por qué no puede ocurrir una cosa así en Nazaret?

—No es eso lo que he preguntado —replicó el rabino, dirigiéndole una mirada dura—. No pregunto qué hicieron los chicos. ¡No sabemos lo que hicieron! ¡No hubo juicio, ni testigos, ni justicia! Pregunto cómo han podido lapidarlos, eso pregunto. ¿Dónde está la ley, dónde la justicia?

Uno podría pensar que despreciaba a su sobrino por la forma en que le contestó, pero lo cierto es que el rabino ama a Jasón. Los hijos del rabino han muerto. Jasón hace que el rabino se sienta joven, y siempre que Jasón está lejos de Nazaret, el rabino se muestra distraído y olvidadizo. Tan pronto como Jasón cruza la puerta, de regreso de algún lugar lejano, con un paquete de libros a la espalda, el rabino renace, y a veces, cuando pasean los dos juntos, parece recuperar el entusiasmo de un muchacho.

—Por cierto —le preguntó Jasón—, ¿y qué harán cuando el padre de Yitra se tropiece con los niños que empezaron esto? Porque eran niños, sabéis, esos niños pequeños que corretean alrededor de la taberna, y han escapado, se fueron antes de que volara la primera piedra. Nahom puede pasarse la vida entera buscando a esos chiquillos.

—Niños —dijo mi tío Cleofás—, niños que puede que ni siquiera sepan bien lo que vieron. ¿Qué tiene de particular, dos jóvenes debajo de la misma manta en una noche de invierno?

—Se acabó —dijo Santiago—. Pues qué, ¿vamos a celebrar el juicio ahora cuando no lo hemos hecho antes? Se acabó.

—Tienes razón —asintió el rabino—. Pero ¿irás a ver a la madre y el padre, y les dirás algo de mi parte? Si voy yo, lloraré largamente y me pondré furioso. Si va Jasón, dirá cosas raras.

Jasón rio sin alegría.

—Cosas raras. ¿Que esta aldea no es más que un miserable montón de polvo? Sí, diría cosas así.

—Tú no tienes por qué vivir aquí, Jasón —dijo Santiago—. Nadie ha dicho nunca que en Nazaret hiciera falta un filósofo griego. Vuelve a Alejandría, o a Atenas o Roma, o a donde sea que vas siempre. ¿Necesitamos nosotros tus pensamientos? Nunca nos han hecho falta.

—Santiago, sé paciente —aconsejó José.

El rabino se dirigió a José, como si no hubiera oído la discusión.

—Ve a verles, José, tú y Yeshua, vosotros siempre decís las palabras justas. Yeshua puede consolar a cualquiera. Explicad a Nahom que su hijo era simplemente un niño, y el Huérfano, ¡ah, el pobre Huérfano!

Estábamos ya despidiéndonos cuando Jasón se acercó y me miró con atención. Yo levanté la vista.

—Cuida de que los hombres no digan las mismas cosas de ti, Yeshua —dijo.

—¿Qué estás diciendo? —exclamó el rabino, y se levantó precipitadamente de su asiento.

—No tiene importancia —dijo José en voz baja—. No es nada, sólo el dolor de Jasón por cosas que uno no alcanza a comprender.

—¿Cómo, no sabéis que andan diciendo cosas raras sobre Yeshua? —dijo Jasón, con la vista clavada en José, y luego en mí—. ¿Sabes cómo te llaman, mi mudo e impasible amigo? —me dijo—. Te llaman Yeshua Sin Pecado.

Me reí, girándome para que no pareciera que me estaba riendo en su cara. Pero lo cierto es que me reí en su cara. Siguió hablando, pero no le escuché. Observé sus manos. Tiene manos finas y hermosas. Y a menudo, cuando recita un largo párrafo o un poema, yo me limito a observar sus manos. Me hacen pensar en pájaros.

El rabino se puso de pronto a tironear la túnica de Jasón, y levantó la mano derecha como si fuera a abofetearlo. Pero luego se dejó caer de nuevo en su silla, y Jasón enrojeció. Ahora lamentaba lo que había dicho, lo lamentaba con desesperación.

—Bueno, la gente habla, ¿no es cierto? —dijo Jasón, mirándome—. ¿Dónde está tu esposa, Yeshua, dónde están tus hijos?

—No voy a quedarme aquí escuchando estas cosas ni un momento más —saltó Santiago. Me agarró del brazo y tiró de mí hacia la calle—. No hables de esa forma a mi hermano —dijo a Jasón—. Todo el mundo sabe lo que te reconcome. ¿Crees que somos tontos? No puedes estar a su altura, ¿es eso? Abigail te ha rechazado. Su padre incluso se burló de ti.

José empujó a Santiago por delante de mí, hasta llevarlo fuera de la habitación.

—Ya basta, hijo. ¿Siempre has de meterte con él?

Cleofás hizo un gesto de asentimiento.

El rabino se dejó caer en su silla y bajó la cabeza entre sus pergaminos.

José se inclinó y susurró algo al rabino. Oí el tono conciliador, pero no las palabras. Mientras tanto, Jasón miraba furioso a Santiago, como si éste fuera ahora su enemigo, y Santiago sonreía despectivo a Jasón.

—¿No tienes bastantes enemigos en el pueblo? —le preguntó Cleofás, en tono tranquilo—. ¿Por qué siempre juegas a Satanás? ¿Tienes que juzgar a mi sobrino Yeshua porque Yitra y el Huérfano no tuvieron juicio?

—A veces —dijo Jasón—, creo que he nacido para expresar lo que los demás no se atreven a decir. He prevenido a Yeshua, eso es todo. —Su voz disminuyó hasta convertirse en un susurro—. ¿No está su propia parienta esperando su decisión?

—¡Eso no es cierto! —declaró Santiago—. ¡Eso viene de la idiotez febril de una mente envidiosa! Te rechazó a ti porque estás loco, ¿y por qué ha de casarse una mujer con el viento, si no está obligada a hacerlo?

De pronto todos empezaron a hablar a la vez, Jasón, Santiago, Cleofás, e incluso José y el rabino.

Salí a la calle. El cielo estaba azul, y el pueblo vacío. Nadie deseaba salir a contar lo que había sucedido. Me alejé un poco, pero seguí oyéndoles.

—Ve a escribir una carta a tus amigos epicúreos de Roma —dijo Santiago con voz dura—. Cuéntales los sucesos escandalosos del miserable villorrio en que estás condenado a vivir. Compón una sátira, ¿por qué no?

Salió a buscarme.

Jasón venía detrás de él, adelantándose a los ancianos, que le seguían.

—Te diré algo respecto a eso —dijo Jasón, furioso—: si escribo alguna cosa de valor, sólo hay un hombre en este lugar capaz de comprenderlo, y ese hombre es tu hermano Yeshua.

—Jasón, Jasón... —tercié—. Vamos, ¿a qué viene todo esto?

—Bueno, si no es por una cosa es por otra —dijo Santiago—. No hables con él. No le mires. En un día como éste, él tiene tema para empezar una discusión. Estamos pasando un invierno duro, sin lluvia, y Poncio Pilatos amenaza con llevar sus estandartes a la Ciudad Santa. Pero él va y se pone a discutir por esto.

—¿Crees que son una broma? —estalló Jasón—. ¿Esos estandartes? Te digo que esos soldados se dirigen en este momento a Jerusalén y que colocarán sus insignias en el mismo Templo, si les apetece. Así están las cosas.

—Para, eso no lo sabemos —dijo José—. Estamos esperando noticias de Poncio Pilatos igual que esperamos la lluvia. Acabad con esta disputa, los dos.

—Vuelve con tu tío —dijo Santiago—. ¿Por qué nos sigues y nos molestas? Nadie más en Nazaret quiere hablar contigo. Vuelve. Tu tío te necesita ahora. ¿No hay páginas que escribir, para informar de estos odiosos sucesos a alguien? ¿O es que éste es un país sin ley, como si fuéramos bandidos de las montañas? ¿Qué, podemos tirarlos a una fosa y que nadie se entere de cómo han muerto? Vuelve y haz tu trabajo.

José dirigió a Santiago una mirada severa que le hizo callar, y lo envió por delante, con la cabeza gacha.

Seguimos nuestro camino, pero Jasón venía aún detrás de nosotros.

—No te deseo ningún mal, Yeshua —dijo.

Su tono confidencial enfureció a Santiago, que dio media vuelta, pero José le detuvo.

—No te deseo ningún mal —repitió Jasón—. Este lugar está maldito. La lluvia nunca llegará. Los campos se están secando. Los huertos se marchitan. Las flores mueren.

—Jasón, amigo —dije—, tarde o temprano la lluvia siempre llega.

—¿Y si no llega nunca? ¿Qué ocurre si los cielos nos han cerrado sus compuertas con toda la razón?

De su boca estaba a punto de brotar un torrente de palabras, pero lo detuve levantando la mano.

—Ven después, hablaremos delante de un vaso de vino —dije—. Ahora he de ir a consolar a esa familia.

Dio media vuelta y se dirigió despacio a la puerta de su tío. De pronto se volvió hacia mí.

—Yeshua, perdóname —dijo desde lejos.

Lo dijo en voz lo bastante alta para que todo el mundo lo oyera.

—Jasón —dije—, estás perdonado.

4

La madre de Yitra había puesto a toda la familia a empaquetarlo todo. Los burros estaban ya cargados. Las dos pequeñas enrollaban la alfombra, cuidando de quitarle el polvo del suelo; la alfombra fina que tal vez ha sido su posesión más valiosa.

Cuando la madre de Yitra vio a José, se puso en pie y corrió a sus brazos. Pero temblaba y tenía secos los ojos, y se limitó a colgarse de él como si huyera de una inundación.

—El viaje a Judea es seguro —dijo José—. Incluso os hará bien, y cuando caiga la noche las pequeñas estarán lejos de las murmuraciones y las miradas de refilón de este lugar. Sabemos dónde descansa Yitra. Iremos a visitarlo.

Ella le miró como si no encontrara sentido a sus palabras.

Luego apareció Nahom, el padre, con dos de sus braceros. Nos dimos cuenta de que los dos hombres habían convencido a Nahom de que volviera a su casa, y él se dejó caer contra la pared, con los ojos en blanco.

—No te preocupes más por esas criaturas —le dijo José—. Han huido. Saben que han hecho mal. Deja que el

Cielo se apiade de ellos. Ahora marchad a Judea, y sacude el polvo de este lugar de tus sandalias.

Uno de los braceros, un hombre de expresión amable, se adelantó y asintió al tiempo que pasaba sus brazos por los hombros de José y Nahom.

—Shemayah comprará tus tierras y te dará un buen precio —dijo—. Yo las compraría si pudiera. Vete. José tiene razón, las criaturas que acusaron a los chicos están ya muy lejos. Probablemente irán en busca de los bandidos de las montañas. Allí es donde suelen ir a parar los desechos. ¿Qué podrías hacerles, de todos modos? ¿Puedes matar a todos los hombres de este pueblo?

La madre de Yitra cerró los ojos y agachó la cabeza. Creí que se iba a desmayar, pero no fue así.

José les abrazó más estrechamente.

—Tenéis a estas pequeñas, ahora. ¿Qué les ocurrirá si no afrontáis esta situación? —los animó José—. Ahora escuchadme, quiero deciros... quiero deciros...

Vaciló. Tenía los ojos anegados en lágrimas. No encontraba las palabras.

Me acerqué y coloqué mis manos sobre los dos, y ellos me miraron de pronto como niños asustados.

—No ha habido juicio, como sabéis —dije—. Eso quiere decir que nadie sabrá nunca lo que hizo Yitra o lo que dejó de hacer el Huérfano, o cómo fue o cuándo, o si nunca ocurrió nada. Nadie lo sabrá. Nadie puede saberlo. Ni siquiera los niños que les acusaron. Sólo el Cielo lo sabe. Ahora no debéis juzgar a los dos chicos en vuestro corazón. No pudo celebrarse un juicio, y eso significa que nadie podrá nunca juzgarles. Por eso habéis de llorar a Yitra en vuestro corazón. Y Yitra es inocente para siempre. Tiene que serlo. No puede ser de otra manera, no en este lado del Paraíso.

La madre de Yitra me miró. Sus ojos se estrecharon y asintió. El rostro de Nahom carecía de expresión, pero se dirigió muy despacio a recoger los bultos que faltaban y luego los llevó con andar cansino hasta los animales que esperaban.

—Os deseamos un buen viaje —dijo José—, y ahora habéis de decirme si necesitáis alguna cosa para el camino. Mis hijos y yo os daremos cualquier cosa que necesitéis.

—Esperad —dijo la madre de Yitra.

Fue hasta un arcón colocado en el suelo y desató las correas. Sacó de él una pieza de tela doblada, tal vez un manto de lana.

—Esto —dijo, y me lo tendió—, esto es para Ana la Muda.

Era la hermana del Huérfano.

—Cuidarás de ella, ¿verdad? —preguntó la mujer.

José se emocionó.

—Hija mía, pobre hija mía —dijo—. Qué amable por tu parte acordarte de Ana en un momento así. Claro que cuidaremos de ella. Siempre cuidaremos de ella.

5

Cuando entramos en la casa, vimos que estaban allí Ana la Muda y Abigail.

Ahora, allá donde iba Abigail, iba también Ana, y donde iban las dos, siempre había con ellas un enjambre de chiquillos. Los hijos de Santiago, Isaac y Shabi, y mis demás sobrinos y sobrinas, rondaban siempre alrededor de Abigail y Ana la Muda. Era Abigail quien cuidaba de los niños, a menudo les cantaba y les enseñaba canciones antiguas, fragmentos de las Escrituras, e incluso a veces versos que se inventaba, y dejaba que las niñas la ayudaran con los hilos y las agujas y todos los trapos por remendar que solía llevar en el cesto. Ana la Muda, que ni oía ni hablaba, vivía con Abigail la mayor parte del tiempo, aunque de cuando en cuando, si el padre de Abigail estaba muy enfermo, con su pierna mala, Ana podía quedarse en nuestra casa, con mis tías y mi madre.

Pero ahora, cuando entramos, sólo estaban las mujeres con Abigail y Ana la Muda. Todos los niños habían sido enviados a otro lugar, estaba claro, y Ana se puso de pie en espera de noticias y miró implorante a José.

Abigail se colocó a su lado, dispuesta a sostenerla. Los

ojos de Abigail estaban enrojecidos de llorar, y de pronto no se parecía a nuestra Abigail, sino más bien a una mujer como la madre de Yitra. El dolor por todo aquello había transfigurado su rostro, miraba fijamente a Ana la Muda y esperaba.

Ana tenía un repertorio de gestos fluidos y elocuentes para todo, y nosotros los conocíamos. Habían pasado varios años desde que el Huérfano y ella llegaron a Nazaret como vagabundos, y desde entonces ella vivía con nosotros, y el Huérfano había vivido en muchos sitios. Pero todos conocíamos su lenguaje de signos y yo pensaba que sus manos eran tan hermosas en ocasiones como las de Jasón.

Nadie sabía qué edad tenía, quizá quince o dieciséis años. El Huérfano había sido más joven.

Ahora se puso en pie delante de José, y de pronto empezó a hacer los gestos que representaban a su hermano. ¿Dónde estaba su hermano? ¿Qué le había ocurrido a su hermano? Nadie se lo decía. Sus ojos vagaban por la habitación, recorrían los rostros de las mujeres apoyadas contra la pared. ¿Qué le había ocurrido a su hermano?

José empezó a responderle. Empezó, pero una vez más las lágrimas acudieron a sus ojos, y sus manos pálidas quedaron inmóviles en el aire, incapaces de describir las formas de lo que había visto o querido ver.

Santiago estaba enfurruñado. Cleofás empezó a decir algo. No conocía muy bien los signos, nunca los había conocido.

Abigail no podía decir ni hacer nada.

Finalmente, me acerqué a Ana la Muda y la giré hacia mí. Hice el gesto de su hermano y me señalé los labios, porque sabía que a veces era capaz de leer en ellos. Señalé arriba e hice el signo de rezar. Hablé despacio mientras trazaba varios signos.

—El Señor vela por tu hermano ahora, y tu hermano

duerme. Tu hermano duerme ahora en la tierra. No volverás a verlo.

Señalé sus ojos. Me incliné hacia delante y señalé mis propios ojos, y los de José, y las lágrimas de su rostro. Sacudí la cabeza.

—Tu hermano está ahora con el Señor —dije. Me besé los dedos y volví a señalar arriba.

La cara de Ana se descompuso y se apartó de mí con un gesto violento.

Abigail la sujetó con firmeza.

—Tu hermano despertará el último día —dijo Abigail, y miró hacia arriba y luego, soltándola, hizo un gesto amplio como si todo el mundo se hubiera congregado delante del Cielo.

Ana la Muda estaba aterrorizada. Encogió los hombros y nos miró a través de sus dedos.

Yo hablé de nuevo, acompañándome con gestos.

—Fue rápido. Fue malo. Como si alguien cayera. Acabó de repente.

Hice los gestos de descansar, de dormir, de calma. Los hice tan despacio como pude.

Vi que su cara cambiaba poco a poco.

—Eres nuestra hija —dije—. Vives con nosotros y con Abigail.

Ella esperó un largo momento y luego preguntó dónde habían llevado a su hermano a descansar. Señalé hacia las colinas lejanas. Ana conocía las cuevas. No necesitaba saber en qué cueva, la de quienes morían lapidados.

Su rostro permaneció inmóvil otra vez pero sólo por un instante, y luego, con una extraña expresión temerosa, preguntó por signos dónde estaba Yitra.

—La familia de Yitra se ha marchado —dije. Hice los gestos de los padres y las pequeñas caminando.

Ella me miró. Sabía que no podía ser cierto, que eso no era todo. De nuevo trazó los signos de dónde está Yitra.

—Díselo —dijo José.

Lo hice.

—En la tierra, con tu hermano. Se han ido.

Sus ojos se agrandaron. Luego, por primera vez vi curvarse sus labios en una sonrisa amarga. De su interior brotó un gruñido, un terrible sonido sin lengua.

Santiago suspiró. Cleofás y él cruzaron una mirada.

—Ahora vente a casa conmigo —dijo Abigail.

Pero no había acabado todo.

José señaló de nuevo el cielo con un gesto rápido, y trazó los signos de descanso y paz en el cielo.

—Ayudadme a llevarla —pidió Abigail, porque Ana la Muda se negaba a moverse.

Mi madre y mis tías se adelantaron. Poco a poco, Ana cedió. Caminaba como en sueños. Salieron de la casa en grupo.

Debió de pararse en medio de la calle. Oímos un sonido como el mugido de un buey, un sonido poderoso y estremecedor. Era Ana la Muda.

Corrí hacia ella y vi que había enloquecido y golpeaba a todos los que se le acercaban, a puntapiés, a empujones, y de su interior brotaba aquel mugido informe, más y más fuerte, arrancando ecos de los muros. Dio a Abigail un empellón que la envió contra la pared, y Abigail de pronto rompió a sollozar y lamentarse.

Shemayah, el padre de Abigail, abrió la puerta.

Pero Abigail corrió hacia Ana la Muda, gimiendo y llorando y dejando correr las lágrimas, y le rogó que por favor fuese con ella.

—¡Ven conmigo! —suplicó Abigail.

Ana la Muda había dejado de mugir. Estaba quieta,

mirando a Abigail. Los sollozos agitaban todo el cuerpo de ésta, que extendió los brazos y luego cayó de rodillas.

Ana corrió a levantarla y se puso a consolarla.

Todas las mujeres se agruparon alrededor de ellas. Acariciaban los cabellos de las dos jóvenes, palmeaban sus hombros. Ana secaba las lágrimas de Abigail como si quisiera borrarlas por completo. Tenía la cara de Abigail entre sus manos y secaba a conciencia las lágrimas. Abigail asentía. Ana la abrazaba una y otra vez.

Shemayah sostenía abierta la puerta para su hija, y finalmente las dos jóvenes entraron juntas en la casa.

Nosotros volvimos a la nuestra. Las brasas brillaban en la penumbra, y alguien puso una taza de agua en mis manos y dijo:

—Siéntate.

Vi a José reclinado contra la pared, con las piernas dobladas y la cabeza gacha.

—Padre, no vengas con nosotros hoy —dijo Santiago—. Quédate aquí, por favor, y cuida de los niños. Hoy te necesitan.

José levantó la vista. Por un momento miró como si no entendiera lo que le decía Santiago. No se produjo la discusión de costumbre, ni siquiera una palabra de protesta. Hizo un gesto de asentimiento y cerró los ojos.

En el patio, Santiago dio unas palmadas para que los chicos se dieran prisa.

—El luto está en nuestros corazones —les recordó—. Pero vamos retrasados. Y para los que trabajáis hoy aquí, quiero el patio bien barrido, ¿entendido? Mirad.

Dio varias vueltas, señalando los sarmientos secos que colgaban del emparrado, las hojas muertas amontonadas en todos los rincones, la higuera que no era más que una maraña de ramas entrelazadas.

Ya de camino, apiñados en la lenta caravana de carros que transportaban a las cuadrillas de trabajadores, se sentó a mi lado y me dijo:

—¿Has visto lo que le ha ocurrido a padre? ¿Lo has visto? Intentó hablar y...

—Santiago, un día como el de hoy habría agotado a cualquiera. Después de esto... él tendría que quedarse en casa.

—¿Cómo podremos convencerle de que yo puedo hacerme cargo de todo ahora? Mira a Cleofás. Sueña despierto y habla a los campos.

—Él lo sabe.

—Todo recae sobre mí.

—Es como tú quieres que sea —dije.

Cleofás era el hermano de mi madre. No era él el cabeza de familia, sino los hijos de Cleofás y su hija Salomé la Menor, a los que yo llamaba hermanos y hermana. La esposa de Santiago era hermana mía.

—Es verdad —dijo Santiago, un poco sorprendido—. Quiero que todo recaiga en mí. No me quejo. Quiero que se hagan las cosas como deben ser hechas.

Asentí, y añadí:

—Lo haces muy bien.

José nunca volvió a trabajar en Séforis.

6

Pasaron dos días antes de que subiera otra vez a la arboleda, a mi arboleda.

A pesar de que el trabajo parecía no acabar nunca, terminamos temprano unas paredes; no podía hacerse nada más hasta que se secara el yeso, y quedaba aún una hora de luz que podía aprovechar para irme, sin una palabra a nadie, en busca del lugar que más amaba, entre los olivos antiguos y oculto detrás de una cortina de hiedra que parecía crecer con la misma facilidad tanto en tiempo seco como lluvioso.

Como he dicho ya, los aldeanos temían ese lugar y nunca subían allí. Los viejos olivos ya no daban fruto, y el tronco de algunos estaba hueco; eran grandes centinelas grises, y retoños más jóvenes arraigaban en sus troncos resecos. Había allí algunas piedras, pero años atrás me convencí de que nunca habían formado parte de un altar pagano ni de un monumento funerario; y una espesa alfombra de hojas las había cubierto de modo que uno podía tenderse sobre una superficie blanda, como sucedería en campo abierto con la hierba sedosa, tan tersa a su manera como ésta.

Llevaba un bulto de trapos limpios que me sirvió de almohada. Me deslicé en mi escondite, me tendí y exhalé un largo y lento suspiro.

Di las gracias al Señor por ese lugar, por ese escape.

Miré encima de mí el juego de la luz en el laberinto de finas ramas movedizas. En los días de invierno la oscuridad llegaba de forma brusca. El cielo había perdido ya su color. No me importó. Conocía de memoria el camino de vuelta a casa. Pero no podía quedarme tanto tiempo como deseaba. Me echarían en falta y alguien vendría a buscarme, y eso supondría problemas que yo no deseaba en absoluto. Lo que deseaba era estar solo.

Recé; intenté aclarar mis pensamientos. Aquél era un lugar fragante y saludable, precioso. No había en Nazaret otro lugar igual, y tampoco había para mí un lugar semejante en Séforis, o en Magdala, o en Caná, o en cualquier otro lugar donde trabajábamos y siempre trabajaríamos.

Y todas las habitaciones de nuestra casa estaban ocupadas.

Cleofás el Menor, el nieto de mi tío Alfeo, se había casado el año anterior con una prima, María, de Cafarnaum, y habían ocupado la última habitación, y María estaba ya esperando un hijo.

De modo que había venido aquí a estar solo. Únicamente por un rato. Solo.

Había intentado agitar la atmósfera del pueblo, el aire de recriminación que se había extendido entre la gente después de la lapidación; nadie quería hablar de eso, pero nadie parecía capaz de pensar en otra cosa. ¿Quién había estado allí? ¿Quién no? Y aquellos niños habían escapado en busca de los bandidos para unirse a ellos, y alguien debería salir en pos de esos bandidos y prender fuego a sus cuevas para obligarles a salir.

Y por supuesto los bandidos habían estado saqueando las aldeas. Ocurría con frecuencia. Y ahora, con la sequía, el precio de los víveres se había encarecido. Corría el rumor de que los bandidos bajaban a las aldeas más pequeñas a robar ganado, y pellejos de vino y de agua. Nadie sabía cuándo uno de esos hombres podía irrumpir a caballo en nuestras calles rebanando gaznates a diestro y siniestro.

En Séforis era el mismo tema, los bandidos y el mal invierno. Pero también se hablaba en todas partes de Pilatos y sus soldados, que avanzaban perezosamente hacia Jerusalén con estandartes que llevaban el nombre del César, estandartes tan altos que no pasaban por las puertas de las ciudades. Era una blasfemia traer esas enseñas con el nombre de un emperador a nuestra ciudad. Nosotros no permitíamos las imágenes; no permitíamos que se paseara el nombre o la imagen de un emperador que pretendía ser un dios.

Bajo el emperador César Augusto nunca había ocurrido nada parecido. Nadie estaba seguro de que el propio Augusto hubiera creído ser un dios. No lo desmentía, desde luego, y se habían levantado templos en su honor. Tal vez tampoco lo creía su hijo Tiberio.

Pero lo que preocupaba a la gente no eran los puntos de vista privados del emperador. Les preocupaban los estandartes que los soldados romanos estaban paseando por toda Judea, y eso no les gustaba, y también los soldados del rey discutían sobre ese tema, fuera de las puertas de palacio, en las tabernas y en la plaza del mercado, o allá donde se reunieran.

El propio rey, Herodes Antipas, no se encontraba en Séforis. Estaba en Tiberíades, su nueva capital, una ciudad a la que se había dado el nombre del nuevo emperador, y que Herodes había edificado junto al mar. Nunca íbamos a trabajar a esa ciudad. Sobre ella se cernía un nubarrón; para construirla se habían removido tumbas. Y como los trabajadores a los que no preocupaban esas cosas habían afluido al este para trabajar allí, en Séforis teníamos más trabajo del que podíamos desear.

Siempre habíamos trabajado bien en Séforis. El rey venía a veces a su palacio, pero viniera o no, había allí un continuo desfile de notables a través de las distintas cámaras; y debido a las espléndidas mansiones que levantaban, el trabajo nunca faltaba.

Ahora esos hombres y mujeres ricos estaban tan preocupados por lo que haría Poncio Pilatos como todos los demás. Cuando se trataba de que los romanos llevaran sus enseñas a la Ciudad Santa, fuera su nivel social el que fuera, todos los judíos eran simplemente judíos.

Nadie parecía conocer a Poncio Pilatos, pero todo el mundo desconfiaba de él.

Y mientras tanto, la noticia de la lapidación se había difundido por todo el país, y la gente nos miraba como si fuéramos la miserable chusma de Nazaret, o así les parecía a mis hermanos y sobrinos cuando les devolvían las miradas, y la gente discutía sobre el costo de la lechada para los ladrillos que yo extendía, o sobre el espesor del yeso que removía en un cuenco.

Desde luego, la gente tenía razón al preocuparse por Poncio Pilatos. Era nuevo y no conocía nuestras peculiaridades. Corría el rumor de que era un partidario de Sejano, y nadie sentía una gran simpatía por Sejano, porque éste recorría el mundo, al parecer, en representación del emperador retirado Tiberio. ¿Y quién era Sejano, decía la gente, sino un soldado corrupto y vicioso, un comandante de la guardia personal del emperador?

Yo no quería pensar en esas cosas. No quería pensar en el dolor de Ana la Muda que iba y venía con Abigail, colgada del brazo de ésta. Tampoco quería pensar en la tristeza de los ojos de Abigail cuando me miraban, en la oscura comprensión que hacía enmudecer por un momento su risa fácil y las canciones que antes tenía siempre a flor de labios.

Pero no podía quitarme esos pensamientos de la cabeza. ¿Por qué había venido a la arboleda? ¿Qué había pensado que iba a encontrar aquí?

Durante un instante, me adormecí. «Abigail. ¿No sabes que ella es el Paraíso? ¡No es bueno que el hombre esté solo!»

Desperté sobresaltado en la oscuridad, recogí mis trapos y salí de la arboleda para volver a casa.

Muy abajo vi el parpadeo de las antorchas en Nazaret. Los días de invierno significaban antorchas encendidas. La gente tenía que trabajar un poco más de tiempo a la luz de las lámparas, las linternas o las antorchas. Me pareció una visión alegre.

Desde donde yo estaba el cielo aparecía sin nubes y sin luna, de un hermoso color negro tachonado por innumerables estrellas. «¿Quién puede sondear tu Bondad, Señor? —murmuré—. Tú has creado el fuego y con él has formado las incontables lámparas que decoran la noche.»

La serenidad descendió sobre mí. El dolor habitual de brazos y hombros había desaparecido. La brisa era fresca, pero llena de sosiego. Algo ascendió en mi interior. Había pasado mucho tiempo desde la última vez que saboreé un momento parecido, en que dejé que se disolviera por unos instantes la estrecha prisión de mi piel. Sentí que me movía hacia lo alto y hacia fuera, como si la noche estuviera llena de miríadas de seres y el ritmo de su canción ahogara los latidos ansiosos de mi corazón. Mi cáscara corporal había desaparecido. Yo estaba en las estrellas. Pero mi alma humana no me dejaba partir. Intenté expresarlo en lenguaje humano: «No; tengo que acabar esto», me dije.

Erguido sobre la hierba seca bajo la bóveda del Cielo, yo era muy pequeño. Me sentí solitario y cansado. «Señor —dije en voz alta a la suave brisa—, ¿cuánto tardará?»

7

Dos linternas ardían en el patio dando una luz alegre. Me sentí satisfecho al verlas, satisfecho al ver a mi sobrino Cleofás el Menor y a su padre, Silas, trabajando en serrar una serie de listones. Sabía de lo que se trataba, y que tenía que estar hecho para el día siguiente.

—Parecéis cansados —dije—. Dejadlo ya, lo haré yo mismo. Serraré la madera.

—No podemos dejar que lo hagas tú —dijo Silas—. ¿Por qué quieres acabarlo todo tú solo? —Hizo un gesto ominoso en dirección a la casa—. Tiene que estar terminado esta noche.

—Puedo hacerlo esta noche —dije—. Me gusta hacerlo. Quiero estar solo precisamente ahora con algo que hacer. Y Silas, tu mujer te está esperando en la puerta. Acabo de verla. Ve.

Silas hizo un gesto de asentimiento y marchó colina arriba hacia su casa. Vivía con su esposa en casa de nuestro primo Leví, que era hermano de su mujer. Pero el hijo de Silas, Cleofás el Menor, vivía con nosotros.

Cleofás el Menor me dio un rápido abrazo y entró en la casa.

Las linternas daban luz suficiente para trabajar, pero las líneas de corte tenían que ser perfectamente rectas. Tomé la herramienta que necesitaba y un pedazo de arcilla afilada para señalar las marcas. Tenía que trazar siete líneas.

Jasón venía paseando y entró en el patio.

Su sombra cayó sobre mí. Olí a vino.

—Has estado esquivándome, Yeshua —dijo.

—No digas tonterías, amigo. —Sonreí. Seguí con mi trabajo—. He estado ocupado con todas las cosas que había que hacer. No te he visto. ¿Dónde estabas?

Él siguió paseándose mientras hablaba. Su sombra alargada se recortaba sobre las losas del suelo. Llevaba una taza de vino en la mano. Oí cómo echaba un trago.

—Sé dónde has estado —dijo—. ¿Cuántas veces has subido la colina y te has sentado en el suelo a mi lado para que te leyera algo? ¿Cuántas veces te he contado las noticias de Roma y has estado pendiente de todas y cada una de mis palabras?

—Eso era en verano, Jasón, cuando los días son más largos —dije con suavidad. Tracé cuidadosamente una línea recta.

—Yeshua Sin Pecado. ¿Sabes por qué te llamo así? Porque todo el mundo te quiere, Yeshua, todo el mundo, y a mí nadie puede quererme.

—No es cierto, Jasón, yo te quiero. Tu tío te quiere. Casi todo el mundo te quiere. No es difícil quererte. Pero a veces sí es difícil entenderte. —Aparté el listón y coloqué el tablón siguiente en posición.

—¿Por qué el Señor no nos envía la lluvia? —preguntó.

—¿Por qué me lo preguntas a mí? —respondí sin levantar la vista.

—Yeshua, hay muchas cosas que nunca te he dicho, cosas que pensé que no valía la pena repetir.

—Tal vez era así.

—No, no estoy hablando de los estúpidos chismorreos de este pueblo. Hablo de otras historias, de historias antiguas.

Suspiré y me senté sobre los talones. Miré al frente, más allá de él, más allá de su lento paseo a la luz titubeante de las linternas. Llevaba unas sandalias muy bonitas, de factura exquisita y tachonadas con clavos que parecían de oro. Los flecos de su manto me rozaron cuando se volvió, moviéndose como un animal inquieto.

—Sabes que he vivido con los esenios —dijo—. Sabes que quería ser un esenio.

—Sí, me lo contaste.

—Sabes que conocí a tu primo Juan hijo de Zacarías cuando viví con los esenios —añadió. Bebió otro trago.

Me preparé para trazar otra línea recta.

—Me lo has dicho muchas veces, Jasón. ¿Has tenido noticias de tus amigos esenios? Dijiste que me lo dirías, ¿recuerdas? Si alguien sabía algo de mi primo Juan.

—Tu primo Juan está en el desierto, eso es lo que dicen todos, en el desierto, alimentándose de frutos silvestres. Nadie le ha visto este año. En realidad, nadie le vio tampoco el año pasado. Un hombre le dijo a otro que había hablado con un tercero que tal vez había visto a tu primo Juan.

Empecé a dibujar la línea.

—Pero sabes, Yeshua, nunca te he contado todo lo que me dijo tu primo cuando estuve viviendo con la comunidad.

—Jasón, tienes demasiadas cosas en la cabeza. Me cuesta imaginar qué puede tener que ver mi primo Juan con ellas, si es que tiene algo que ver.

La línea no me salía recta. Cogí un trapo, lo anudé y froté con él los trazos. Tal vez había apretado demasiado, porque costaba borrarla.

—Oh, sí, tu primo Juan tiene mucho que ver con esto —dijo, y se detuvo frente a mí.

—Ponte un poco a la izquierda, me tapas la luz.

Levantó el brazo, sacó la linterna de su gancho y me la colocó delante de los ojos.

Me senté de nuevo, sin mirarlo. La luz me molestaba ahora.

—De acuerdo, Jasón, ¿qué quieres contarme sobre mi primo Juan?

—Tengo dotes para la poesía, ¿no crees?

—Sin duda.

Froté el trazo con suavidad y poco a poco fue desapareciendo de la madera, que adquirió un ligero brillo.

—Eso es lo que ha hecho que me fije en ti —dijo—, las palabras que Juan me recitaba, las letanías que se sabía de memoria... sobre ti. Había aprendido esas letanías de labios de su madre, y las declamaba todos los días después de recitar la *Shema* junto a todo Israel; pero esas letanías eran su oración privada. ¿Sabes lo que decían?

Pensé un momento.

—No sé si lo sé —dije.

—Muy bien, entonces déjame que te las recite.

—Pareces decidido a hacerlo.

Se agachó. Qué aspecto el suyo, con su hermoso cabello negro bien perfumado con óleos y sus grandes ojos serios.

—Antes de que Juan naciera, tu madre fue a visitar a la suya. Por entonces vivía cerca de Betania y su marido, Zacarías, aún vivía. Cuando lo mataron, Juan ya había nacido.

—Sí, eso cuentan —dije.

Volví a intentar trazar la línea, y esta vez lo hice de forma correcta, sin desviarme. Hice una incisión en la madera con el filo cortante del pedazo de arcilla.

—Tu madre contó a la madre de Juan que un ángel se le había aparecido —dijo Jasón, inclinándose sobre mí.

—Todo el mundo en Nazaret conoce esa historia, Jasón —dije, y seguí marcando la línea.

—No, pero tu madre, tu madre, de pie en el atrio, con sus brazos en torno a la madre de Juan, tu madre, tu silenciosa madre que apenas habla nunca, en ese momento entonó un himno. Miraba más allá de las colinas donde fue enterrado el profeta Samuel, y compuso su himno con las antiguas palabras de Ana.

Me interrumpí y levanté despacio los ojos hacia él.

Su voz sonó baja y reverente, y su rostro era más sereno y más dulce.

—«Mi alma proclama la grandeza del Señor. Mi espíritu se alegra en Dios, mi Salvador. Porque Él ha puesto los ojos en la humildad de su sierva. Por eso a partir de ahora todas las generaciones me llamarán bienaventurada. El Todopoderoso ha obrado en mí maravillas, y santo es Su nombre. Su misericordia alcanza de generación en generación a los que le temen. Ha desplegado la fuerza de Su brazo, y dispersado a los soberbios de mente y corazón. Ha derribado a los poderosos de sus tronos y exaltado a los humildes. A los hambrientos les ha colmado de bienes, y ha despedido a los ricos sin darles nada. Ha acogido a Israel su siervo acordándose de Su misericordia, como había prometido a nuestros padres...»

Se detuvo y nos miramos.

—¿Conoces esa oración? —preguntó.

No respondí.

—Muy bien —dijo con tristeza—. En ese caso te recitaré otra, la plegaria pronunciada por el padre de Juan, Zacarías el sacerdote, cuando bautizó a Juan.

No dije nada.

—«Bendito el Señor Dios de Israel, porque ha visitado y traído la redención a Su pueblo. Ha suscitado una fuerza para nuestra salvación en la casa de David, Su siervo, tal como había prometido desde tiempos antiguos por boca de los santos profetas. —Se interrumpió y bajó la vista unos instantes. Tragó saliva y continuó—: Salvación... de nuestros enemigos y de las manos de todos los que nos odian... Y tú, niño, serás llamado profeta del Altísimo, porque irás delante del Señor para preparar Sus caminos...» —Se detuvo, incapaz de continuar—. ¿De qué sirve todo esto? —susurró. Se puso en pie y me volvió la espalda.

Yo continué las letanías, tal como las conocía.

—«Para dar a su pueblo conocimiento de salvación por el perdón de sus pecados —dije—. Por la tierna misericordia de Dios.»

Se volvió para mirarme, asombrado. Yo continué:

—«Él hará que nos visite una luz de lo alto, a fin de iluminar a los que se hallan sentados en las tinieblas y las sombras de la muerte, y guiar nuestros pasos por el camino de la paz.»

Se echó atrás y palideció.

—Por el camino de la paz, Jasón —dije—. Por el camino de la paz.

—¿Pero dónde está tu primo? —preguntó—. ¿Dónde está Juan, que ha de ser el Profeta? Los soldados de Poncio Pilatos acampan frente a Jerusalén esta noche. Nos lo han dicho las hogueras encendidas a la puesta del sol. ¿Qué vais a hacer?

Me crucé de brazos y observé su actitud, llena de fervor y furia. Bebió el resto de su vino y dejó la taza sobre el banco, pero cayó y se rompió. Me quedé mirando los pedazos. Él ni siquiera los vio. No había oído romperse la taza.

Se me acercó y se acuclilló de nuevo, de modo que la luz mostró con toda claridad su rostro.

—¿Tú crees en esas historias? —preguntó—. Dímelo, dímelo antes de que me vuelva loco.

No respondí.

—Yeshua —suplicó.

—De acuerdo, sí, creo en ellas —dije.

Me miró expectante durante un largo rato, pero yo no añadí nada.

Se llevó las manos a la cabeza.

—Oh, no tendría que haber dicho estas cosas. Prometí a tu primo Juan que nunca las revelaría. No sé por qué lo he hecho. Pensé... pensé...

—Son momentos amargos —dije—. Yitra y el Huérfano han muerto. El cielo tiene el color del polvo. Cada día encorva un poco más nuestras espaldas y trae dolor a nuestros corazones.

Me miró. ¡Deseaba tanto comprender!

—Y confiamos en la tierna misericordia del Señor —proseguí—. Esperamos que llegue el tiempo del Señor.

—¿No tienes miedo de que todo sea mentira? Yeshua, ¿nunca has tenido miedo de que todo sea mentira?

—Tú sabes las historias que yo sé —repuse.

—¿No te asusta lo que está ocurriendo en Judea?

Negué con la cabeza.

—Te quiero, Yeshua —dijo.

—Y yo te quiero a ti, hermano.

—No, no me quieras. Tu primo no me perdonará si sabe que te he contado estos secretos.

—¿Y quién es mi primo Juan, si ha de vivir toda su vida sin confiarse siquiera a un amigo? —pregunté.

—A un mal amigo, a un amigo poco fiable —replicó.

—A un amigo con muchas ideas en la cabeza. Tuviste que resultar muy molesto para los esenios.

—¡Molesto! —Se echó a reír—. Me echaron.

—Lo sé —dije, y también reí. A Jasón le encantaba contar la historia de cómo los esenios lo invitaron a marcharse. Casi siempre era lo primero que contaba a un nuevo conocido, que los esenios le habían pedido que se fuera.

Tomé el pedazo cortante de arcilla y empecé de nuevo a cortar, deprisa, manteniendo la regla perfectamente inmóvil. Una línea recta.

—No vas a pedir la mano de Abigail, ¿verdad? —preguntó.

—No, no lo haré. —Fui a por el siguiente tablón—. Nunca me casaré. —Seguí midiendo.

—Pues eso no es lo que dice tu hermano Santiago.

—Jasón, déjalo —dije en tono suave—. Lo que diga Santiago es algo entre él y yo.

—Él dice que vas a casarte con ella, sí, con Abigail, y que él se encargará. Dice que el padre de ella te aceptará. Dice que el dinero no significa nada para Shemayah. Dice que eres el hombre que su padre...

—¡Basta! —exclamé. Lo miré a los ojos. Estaba casi encima de mí, como si pretendiera amenazarme—. ¿Qué es? ¿Qué tienes dentro, en realidad? ¿Por qué no lo sueltas ya?

Se puso de rodillas y se sentó sobre los talones, de modo que de nuevo nuestros ojos se encontraron a la misma altura. Estaba pensativo y triste, y habló con voz ronca.

—¿Sabes lo que dijo de mí Shemayah cuando mi tío

fue a pedir la mano de Abigail para mí? ¿Sabes lo que dijo ese viejo a mi tío, a pesar de que sabía que yo estaba esperando detrás de la cortina y podía oírle?

—Jasón —dije en voz baja.

—El viejo dijo que se me notaba lo que era desde una legua de distancia. Se burló. Utilizó la palabra griega, la misma con que calificaron a Yitra y el Huérfano...

—Jasón, ¿es que no puedes leer entre líneas? Es un hombre viejo, amargado. Cuando murió la madre de Abigail, él murió con ella. Sólo Abigail hace que siga respirando, caminando, hablando, quejándose de su pierna enferma.

Estaba pendiente de sí mismo. No me escuchaba.

—Mi tío simuló que no le había entendido, ¡qué astuto! Mi tío, sabes, es un maestro en guardar las formas. Soslayó el insulto. Se limitó a ponerse en pie y decir: «Bien, en todo caso tal vez más adelante cambie de opinión...» Y nunca me dijo lo que le había dicho Shemayah...

—Jasón, Shemayah no quiere perder a su hija. Ella es todo lo que tiene. Shemayah es el granjero más rico de Nazaret, pero lo mismo podría ser un mendigo de los que acampan al pie de la colina. Lo único que posee es a Abigail, y tarde o temprano tendrá que darla en matrimonio a alguien, y teme ese momento. Llegas tú, con tu túnica de lino y tu cabello recortado y tus anillos y tu facilidad para expresarte en griego y latín, y le das miedo. Perdónalo, Jasón. Perdónalo por el bien de tu propio corazón.

Se puso en pie y reanudó sus paseos.

—Ni siquiera sabes de qué estoy hablando, ¿verdad? —dijo—. ¡No entiendes lo que intento decirte! Por un momento parece que me entiendes, ¡y al siguiente pienso que eres imbécil!

—Jasón, este lugar es demasiado pequeño para ti. Cada día y cada noche estás luchando con demonios en todo lo que lees, en lo que escribes, en lo que piensas, y probablemente también en tus sueños. Ve a Jerusalén, donde están los hombres que desean hablar sobre el mundo. Vuelve a Alejandría o a Rodas. Eras feliz en Rodas. Es un buen lugar para ti, está lleno de filósofos. Puede que en Roma te encuentres aún mejor.

—¿Por qué tengo que irme a esos sitios? —repuso con amargura—. ¿Por qué? ¿Porque crees que el viejo Shemayah tiene razón?

—No, no lo creo en absoluto.

—Bueno, déjame decirte una cosa: tú no sabes nada de Rodas ni de Roma ni de Atenas, no sabes nada de ese mundo. Hay un momento en que un hombre que disfruta de una compañía selecta, cuando se cansa de tabernas y ágoras y banquetes de borrachos, desea volver a su casa y pasear bajo los árboles que plantó su abuelo. Puede que yo no sea un esenio de corazón, pero soy un hombre.

—Lo sé.

—No lo sabes.

—Desearía poder darte lo que necesitas.

—¡Como si tú supieras qué necesito!

—Mi hombro —dije—. Mis brazos alrededor de tu cuerpo. —Me encogí de hombros—. Un poco de cariño, nada más. Desearía poder dártelo ahora.

Se quedó boquiabierto. Las palabras hervían en su interior, pero ninguna salió de su boca. Se volvió a un lado y otro, y luego me dio la espalda.

—Pues será mejor que no lo intentes —murmuró, y me miró de arriba abajo con ojos como rendijas—. Nos lapidarían a los dos si hicieras eso, como lapidaron a esos chicos.

Se alejó hacia el extremo del patio.

—En un invierno como éste —dije—, es muy probable que lo hicieran.

—Eres un simplón y un bobo —replicó en un susurro surgido de las sombras.

—Conoces las Escrituras mejor que tu tío, ¿verdad? —Lo miré, una silueta gris contra la celosía. Chispas de luz en sus ojos.

—¿Qué tiene que ver contigo y conmigo y con esto? —preguntó.

—Piénsalo. «Sed amables con los extranjeros que vienen a vuestra tierra, porque una vez fuisteis extranjeros en la tierra de Egipto. —Me encogí de hombros—. Y ya sabéis lo que significa ser extranjero...» De modo que dime, ¿cómo hemos de tratar al extranjero que hay dentro de nosotros mismos?

La puerta de la casa se abrió y Jasón se encogió un poco más contra la celosía, sobresaltado e inquieto.

Era Santiago.

—¿Qué te pasa esta noche? —preguntó a Jasón—. ¿Por qué andas rondando, con tu túnica de lino? ¿Qué te pasa? Pareces haber perdido la razón.

Mi corazón se encogió.

Jasón resopló con desdén.

—Bueno, eso no puede arreglarlo un carpintero —dijo—. Seguro que no.

Y se marchó colina arriba.

Santiago dejó escapar un suave bufido.

—¿Por qué lo aguantas, por qué le dejas entrar en este patio y comportarse como si estuviera en la plaza del mercado?

Volví a mi trabajo.

—Le aprecias mucho más de lo que das a entender —observé.

—Quiero hablar contigo —dijo Santiago.

—Ahora no, si me disculpas. Tengo que marcar estas líneas. Dije a los otros que lo haría. Les mandé a casa.

—Ya sé lo que has hecho. ¿Te piensas que eres el cabeza de familia?

—No, Santiago, no lo creo. —Continué con mi trabajo.

—He decidido hablar contigo ahora mismo —dijo—. Ahora, cuando las mujeres están calladas y no hay niños por medio. He venido aquí para hablar contigo, y únicamente por esa razón.

Se paseó de un lado a otro, frente a los tablones. Yo los coloqué todos en fila. En línea recta.

—Santiago, el pueblo duerme. Yo casi estoy dormido. Quiero irme a la cama.

Tracé la línea siguiente, tan cuidadosamente como pude. Bastante bien. Coloqué el último tablón. Me detuve un momento para frotarme las manos. No me había dado cuenta pero mis dedos estaban rígidos de frío.

—Yeshua —dijo Santiago en voz baja—, ha llegado el momento y no puedes seguir retrasándolo. Has de casarte. Ya no hay ninguna razón para que sigas dando largas al asunto.

Lo miré.

—No te entiendo, Santiago.

—¿No me entiendes? Además, ¿dónde está escrito en las profecías que no has de casarte? —Su voz era dura. Hablaba con una lentitud no habitual en él—. ¿Quién ha declarado que no puedes tomar esposa?

Bajé la vista de nuevo, cuidando de moverme muy despacio para no hacerle sentir de una forma más cruda mi desafío.

Acabé de trazar la última línea. Levanté la vista de los tablones. Muy despacio, me puse en pie. Sentía un dolor intenso en las rodillas, y me incliné para frotarme primero la izquierda y después la derecha.

Él seguía de brazos cruzados, presa de una cólera fría muy distinta de los arrebatos ardientes de Jasón, pero que, a su propia manera, era incluso más furiosa. Evité su mirada lo mejor que supe.

—Santiago, nunca me casaré —dije—. Es hora de que acabemos con esta historia. Hora de que pongamos el punto final definitivo. Es algo que te preocupa a ti... y solamente a ti.

Alargó su mano como hacía a menudo y apretó mi brazo con la fuerza suficiente para que me doliera, y no la retiró.

—No me preocupa a mí solo —dijo—. Estás llevando mi paciencia al límite, eso es lo que haces.

—No lo hago a propósito. Estoy cansado.

—¿Tú estás cansado? ¿Tú? —Sus mejillas enrojecieron. La luz de la linterna subrayó las sombras de sus ojos—. Los hombres y las mujeres de esta casa están todos de acuerdo. Todos dicen que es hora de que te cases, y yo digo que vas a hacerlo.

—Tu padre no —respondí—. No me digas que tu padre ha dicho eso. Y tampoco mi madre, porque sé que no lo haría. Y si los demás están de acuerdo, es porque tú les has convencido. Y sí, estoy cansado, Santiago, y quiero irme ya. Estoy muy cansado.

Me solté de su presa tan despacio como pude, recogí la linterna y me dirigí al establo. Todo estaba en orden allí, los animales alimentados, el suelo barrido y limpio. Cada arnés colgaba de su gancho. El ambiente estaba caldeado gracias a los animales. Me sentí a gusto y me entretuve unos momentos para disfrutar de aquel calor.

Volví al patio. Santiago había apagado la otra linterna y esperaba impaciente en la oscuridad. Luego entró detrás de mí en la casa.

La familia ya se había acostado. Sólo quedaba José junto al brasero, dormitando. Así, medio dormido, su rostro se veía terso y joven. Me gustan los rostros de los viejos; me gusta su pureza cérea, la forma en que la carne se adhiere a los huesos, las órbitas de los ojos marcadas detrás de los párpados.

Me dejé caer junto a las brasas y empecé a calentarme las manos, y en ese momento apareció mi madre y se quedó de pie junto a Santiago.

—Tú también, no, madre —dije.

Santiago daba vueltas como antes había hecho Jasón.

—Terco, orgulloso —dijo, entre dientes.

—No, hijo mío —dijo mi madre—. Pero hay algo que debes saber ahora.

—Dímelo entonces, madre —dije. El calor era una delicia para mis dedos agarrotados. Me gustaba el brillo del rescoldo debajo de la espesa capa de ceniza de los carbones.

—Santiago, déjanos solos, ¿quieres? —le pidió mi madre.

Él dudó, y luego inclinó la cabeza con respeto, casi en una reverencia, y salió. Sólo con mi madre era así, irreprochablemente atento. A su mujer la sacaba con frecuencia de sus casillas.

Mi madre se sentó.

—Es una cosa extraña —dijo—. Ya conoces a nuestra Abigail, y bueno, sabes que este pueblo es lo que es, y que hay parientes que vienen a pedir su mano desde Séforis, incluso desde Jerusalén.

No dije nada. Sentí de pronto un dolor lacerante. Intenté localizar ese dolor. Estaba en mi pecho, en mi vientre, detrás de mis ojos. Estaba en mi corazón.

—Yeshua —susurró mi madre—. La chica ha venido en persona a preguntar por ti.

Dolor.

—Es demasiado modesta para venir a hablar conmigo —susurró mi madre—. Ha hablado con la vieja Bruria, con Esther y con Salomé. Yeshua, creo que su padre diría que sí.

El dolor pareció hacerse insoportable. Me quedé mirando las brasas. No quería mirar a mi madre. Quería evitarle eso.

—Hijo mío, te conozco mejor que nadie —dijo ella—. Cuando Abigail está contigo, te derrites de amor.

No pude responder. No podría controlar mi voz. No podría controlar mi corazón. Guardé silencio. Luego, poco a poco, me vi capaz de hablar de una forma normal y tranquila.

—Madre —dije—, ese amor me acompañará allá donde vaya, pero Abigail no irá conmigo. No irá conmigo ninguna esposa; ni esposa, ni hijo. Madre, tú y yo no tenemos necesidad de hablar de esto. Pero si hemos de hacerlo ahora, pues bien, has de saber que no voy a cambiar de idea.

Inclinó la cabeza, como yo sabía que haría. Me besó en la mejilla. Yo acerqué de nuevo las manos al fuego, y ella me tomó la derecha y la acarició con su propia mano pequeña y cálida.

Creí que mi corazón se iba a detener.

Ella me soltó.

«Abigail. Esto es peor que los sueños. No son imágenes que sea posible ahuyentar. Es sencillamente todo lo que sé de ella y siempre he sabido, de Abigail. Es casi más de lo que un hombre puede soportar.»

De nuevo, compuse mi voz normal. Hablé en voz baja y sin énfasis.

—Madre, ¿le resultaba Jasón realmente insoportable?

—¿Jasón?

—Cuando pidió la mano de Abigail, madre, ¿a ella le resultó insoportable? Jasón. Lo sabes, ¿no?

Arrugó el ceño y pensó.

—Hijo mío, no creo que Abigail haya llegado siquiera a enterarse de que Jasón la pretendía —dijo—. Todo el mundo lo sabía. Pero creo que ese día Abigail estaba aquí jugando con los niños. No estoy segura de que ella dijera una sola palabra al respecto. Shemayah se presentó aquí esa noche, y se sentó aquí y dijo las cosas más terribles y despectivas sobre Jasón, pero Abigail ya no estaba. Estaba en su casa, durmiendo. No sé si Abigail encuentra insoportable a Jasón. No, no creo que ella lo sepa siquiera.

El dolor había ido creciendo mientras ella hablaba. Era agudo y profundo. Mis ideas se hacían borrosas. Qué gran cosa habría sido poder llorar; estar solo y llorar, sin nadie que me viera ni oyera.

«Carne de mi carne y huesos de mis huesos.» Mantuve una expresión serena y las manos quietas. «Él los creó varón y mujer.» Tenía que ocultarle esto a mi madre, y ocultármelo a mí mismo.

—Madre —dije—, podrías mencionárselo a ella... que Jasón fue a pedir su mano. Tal vez puedas hacérselo saber, de alguna forma.

El dolor se hizo tan intenso que no quise seguir hablando. No podría confiar en mí mismo si decía una palabra más.

Sentí sus labios en mi mejilla. Su mano se posó en mi hombro.

Después de un largo silencio preguntó:

—¿Estás seguro de que es eso lo que quieres que haga?

Hice un gesto de asentimiento.

—Yeshua, ¿estás seguro de que es la voluntad de Dios?

Esperé a que el dolor retrocediera y mi voz volviera a pertenecerme. Entonces la miré. De pronto, su expresión serena me trajo una nueva tranquilidad.

—Madre —dije—, hay cosas que sé y cosas que no sé. A veces ese conocimiento me viene de forma inesperada, como respuestas repentinas a quienes me preguntan. Otras veces, el conocimiento llega a través del dolor. Pero siempre tengo la certeza de que se trata de un conocimiento superior al que yo podría alcanzar por mí mismo. Sencillamente, está más allá de mi alcance, más lejos de cuanto puedo averiguar. Sé que vendrá a mí cuando tenga necesidad de él. Sé que puede venir, como he dicho, de forma imprevista. Pero hay cosas que sé con total seguridad, y que siempre he sabido. No hay sorpresas. No hay dudas.

Otra vez guardó un largo silencio, y luego dijo:

—Eso te hace infeliz. Lo he visto antes, pero nunca me ha parecido tan malo como ahora.

—¿Tan malo es? —murmuré. Aparté la vista, como hacen los hombres cuando sólo quieren ver sus propios pensamientos—. No sé si ha sido malo para mí, madre. ¿Qué es malo para mí? Amar a Abigail como la amo... ha sido un resplandor, un resplandor grande y hermoso.

Ella esperó.

—Hay estos momentos —dije—. Momentos que te parten el corazón, momentos en que se mezclan la alegría y la tristeza. Cuando descubres que el dolor se convierte en una dulzura secreta. Recuerdo haberlo sentido por primera vez cuando llegamos a este lugar, todos juntos, y subí hasta lo alto de la colina de Nazaret y vi la hierba verde y viva, y las flores y los árboles moviéndose como en un gran baile. Duele.

Ella no dijo nada.

La miré. Me golpeé levemente el pecho con el puño.

—Duele —dije—. Pero tenía que ser así... desde siempre.

Asintió a regañadientes, inclinando la cabeza.

Guardamos silencio.

—Cuéntaselo a Abigail —dije al cabo—. Arréglatelas para que sepa que Jasón ha pedido su mano. Jasón la quiere, y yo he de reconocer que la vida junto a Jasón nunca será aburrida.

Ella sonrió. Me besó otra vez, se apoyó en mi hombro para incorporarse, y se fue.

Santiago volvió a entrar. Se preparó una almohada con su manto doblado y se tendió a dormir junto a la pared.

Yo me quedé mirando los rescoldos rojizos.

«¿Cuánto tardará, Señor? —le susurré—. ¿Cuánto?»

8

El hecho es que, a su manera modesta, todas las doncellas de Nazaret suspiraban por Jasón. Y nunca resultó tan evidente como en la tarde siguiente, cuando el pueblo se volvió loco y abarrotó la sinagoga; hombres y mujeres y niños llenaron todos los bancos y se apiñaron en el umbral y se sentaron ocupando cada centímetro de suelo, hasta los mismos pies del rabino y los ancianos.

Con las primeras sombras del día, las hogueras de señales transmitieron a Galilea las noticias que ya se habían difundido por toda Judea. Los hombres de Poncio Pilatos habían izado sus estandartes en el interior de la Ciudad Santa, y se negaban a retirarlos a pesar de las protestas del populacho furioso.

El cuerno de carnero sopló una llamada tras otra.

Apiñados y estrujados, ocupamos como pudimos nuestros sitios cerca de José, y Santiago se esforzó por controlar a sus hijos Menahim, Isaac y Shabi. Estaban presentes todos mis sobrinos y primos, así como todos los que podían valerse por sí mismos en Nazaret, e incluso los imposibilitados de caminar, llevados a hombros por sus hijos o nietos. El anciano Sherebiah, que era sordo como una tapia, también había sido llevado allí.

Abigail, Ana la Muda y mis tías estaban ya sentadas entre las mujeres, inquietas pero en general silenciosas.

Cuando Jasón se adelantó para informar con detalle de las noticias, vi los ojos de Abigail fijos en él con la misma atención que los demás.

Jasón subió de un salto al banco colocado junto al de los ancianos.

Qué deslumbrante estaba con su habitual túnica de lino blanco con flecos azules, y un manto claro sobre los hombros. Ningún maestro bajo el Porche de Salomón tenía un aspecto más imperioso ni más elegante.

—¿Cuántos años hace que Tiberio César expulsó de Roma a la comunidad judía? —preguntó a viva voz.

Un rugido se alzó de la asamblea, incluso las mujeres gritaron, pero todos guardaron silencio cuando Jasón continuó:

—Y ahora, como todos sabemos, un hombre de la clase ecuestre, Sejano, gobierna el mundo en representación de ese emperador despiadado, Tiberio, a cuyo propio hijo Druso asesinó Sejano.

El rabino se levantó y le pidió que no hablara así. Todos meneamos la cabeza. Era peligroso decir aquello, incluso en el último rincón del Imperio, aunque todo el mundo ya lo supiera. También los ancianos gritaron a Jasón que se callara. José fue hacia él y lo sujetó con firmeza para que no prosiguiera.

—Ya han sido enviados mensajeros para informar a Tiberio César de esos estandartes en la Ciudad Santa —anunció el rabino—. Sin duda, se ha hecho ya. ¿Creéis que el Sumo Sacerdote José Caifás está con los brazos cruzados y guarda silencio ante esta blasfemia? ¿Creéis que Herodes

Antipas no va a hacer nada? Y sabéis muy bien, todos y cada uno de vosotros, que el emperador no quiere disturbios en estos lugares, ni en ninguna parte del Imperio. El emperador enviará una orden, como ha hecho otras veces. Los estandartes serán retirados. ¡Poncio Pilatos no tendrá otra opción!

José y los ancianos hicieron vigorosos gestos de asentimiento. Los ojos de los hombres y mujeres más jóvenes estaban fijos en Jasón, que se limitaba a observar, insatisfecho. Luego negó vigorosamente con la cabeza.

De nuevo se produjeron murmullos, y de pronto también hubo gritos.

—Paciencia es lo que necesitamos ahora —dijo José, y algunas personas sisearon para poder oírle. Fue el único de los ancianos que intentó hablar, pero era inútil.

Entonces la voz de Jasón se alzó, aguda y burlona, por encima del barullo:

—¿Y si ese informe nunca llega a las manos del emperador? ¿Quién nos asegura que ese Sejano, que desprecia a nuestra raza y siempre la ha despreciado, no interceptará al mensajero y destruirá el informe?

Los gritos de apoyo se hicieron más fuertes.

Menahim, el hijo mayor de Santiago, se puso en pie.

—Yo digo que marchemos sobre Cesarea, que vayamos todos como un solo hombre a exigir que el gobernador retire los estandartes de la ciudad.

Los ojos de Jasón brillaron, y atrajo hacia él a Menahim.

—¡Te prohíbo que vayas! —gritó Santiago, y otros hombres de su edad lo imitaron con la misma vehemencia, en un intento por detener a los jóvenes, que parecían a punto de echar a correr fuera de la asamblea.

Mi tío Cleofás se puso en pie y rugió:

—¡Silencio, chusma insensata!

Subió a la tribuna de los ancianos.

—¿Qué sabéis vosotros? —dijo, y señaló con el dedo a Menahim, Shabi, Jasón y muchos otros, volviéndose a un lado y otro—. Decidme qué sabéis de las legiones romanas que han entrado en esta tierra desde Siria. ¿Qué habéis visto de ellas en vuestras pequeñas vidas miserables? ¡Niños de cabeza caliente! —Fulminó a Jasón con la mirada.

Luego saltó encima del banco, sin buscar siquiera una mano para ayudarse, y empujó a Jasón a un lado, casi haciéndolo caer.

Cleofás no era uno de los ancianos. No era tan viejo como el anciano más joven, que era precisamente su cuñado José. Cleofás tenía una cabeza poblada de cabello gris que enmarcaba sus facciones vigorosas, y una voz potente con el timbre de la juventud y la autoridad de un maestro.

—Respóndeme —pidió Cleofás—. ¿Cuántas veces, Menahim hijo de Santiago, has visto soldados romanos en Galilea? Bueno, ¿quién los ha visto? ¿Tú, tú... tú?

—Díselo —declaró el rabino a Cleofás—, porque ellos no lo saben. Y los que sí lo saben, al parecer no pueden recordarlo.

Los hombres más jóvenes estaban furiosos y gritaban que ellos sabían muy bien lo que querían y qué era necesario hacer, e intentaban superar a los otros a base de gritos más potentes.

La voz de Cleofás resonó más alta de lo que nunca le había oído. Dio a todos una muestra de la oratoria que nosotros estábamos acostumbrados a oír bajo nuestro propio techo.

—No estaréis pensando que Sejano, al que tanto detestáis —declamó—, no hará nada para detener los disturbios en Judea, ¿verdad? Ese hombre no quiere disturbios. Quiere el poder, y lo quiere en Roma, y no quiere que nadie rechiste en el oriente del Imperio. Yo os digo que le dejéis alcanzar su poder. Hace mucho que los judíos han regresado a Roma. Los judíos viven en paz en todas las ciudades del mundo, desde Roma hasta Babilonia. ¿Y sabéis cómo se ha forjado esa paz, vosotros que correríais a chocar de frente con la guardia romana en Cesarea?

—Sabemos que somos judíos, eso es lo que sabemos —declaró Menahim. Santiago quiso pegarle, pero lo sujetaron.

En el otro lado del templo, mi madre cerró los ojos e inclinó la cabeza. Abigail tenía los ojos abiertos de par en par y miraba a Jasón, que se había cruzado de brazos como si él fuera el juez de aquel pleito, y observaba con frialdad al pequeño grupo de ancianos.

—¿Qué historia vas a contarnos? —preguntó Jasón a Cleofás, colocados los dos lado a lado en el banco—. ¿Vas a decirnos que hemos disfrutado de décadas de paz bajo Augusto? Lo sabemos. ¿Que hemos tenido paz con Tiberio? Lo sabemos. ¿Que los romanos toleran nuestras leyes? Lo sabemos. Pero también sabemos que los estandartes, los estandartes con la figura de Tiberio, están en la Ciudad Santa desde esta mañana. Y sabemos que el Sumo Sacerdote José Caifás no los ha hecho retirar. Y tampoco Herodes Antipas. ¿Por qué? ¿Por qué no han sido retirados? Yo os diré por qué: la fuerza es la única voz que el nuevo gobernador Poncio Pilatos comprenderá. Ha sido enviado aquí por un hombre brutal, ¿y quién de nosotros no sabía que una cosa así podía ocurrir?

Los gritos se hicieron ensordecedores. El edificio resonaba como un enorme tambor. Incluso las mujeres estaban inflamadas. Abigail, acurrucada junto a mi madre, miraba a Jasón con admiración. Incluso Ana la Muda, con los ojos velados aún por la pena, lo contemplaba vagamente fascinada.

—¡Silencio! —exigió Cleofás. Rugió la orden por segunda vez y empezó a golpear el banco hasta que las voces cesaron—. Las cosas no son como tú dices, pero ¿quiénes somos nosotros, simples mortales? Nosotros no somos criaturas brutales. —Se golpeó el pecho con ambas manos—. ¡La fuerza no es nuestro lenguaje! Puede que sea el lenguaje de ese gobernador loco y sus secuaces, pero nosotros hablamos una lengua distinta y siempre lo hemos hecho. Si no sabéis que las legiones pueden caer sobre nosotros desde Siria y llenar esta tierra de cruces en tan sólo un mes, no sabéis nada. Mirad a vuestros padres. ¡Mirad a vuestros abuelos! ¿Sois vosotros más celosos seguidores de la Ley que ellos?

Señaló aquí y allá. Señaló a Santiago. Me señaló a mí. Señaló a José.

—Recordad el año en que Herodes Arquelao fue depuesto —prosiguió—. Diez años gobernó ese hombre, y después fue destituido. ¿Y qué ocurrió en esta tierra cuando el emperador, en defensa de todos nosotros, tomó esa decisión? Os voy a decir lo que ocurrió: en las montañas se levantaron Judas el Galileo y su cómplice fariseo, e infestaron el país, en Judea y Galilea y Samaria, de muertes, incendios, saqueos y revueltas. Y nosotros, que habíamos visto antes una carnicería tras la muerte de Herodes el Grande, volvimos a verla, oleada tras oleada. Como en el incendio de una pradera, las llamas despiden al aire la hierba muerta en forma de cenizas. Y vinieron los romanos como siempre hacen, y se levantaron cruces, y recorrer los caminos era pasar entre los gritos y los gemidos de los moribundos.

Silencio. Incluso Jasón lo miraba en silencio.

—¿Queréis que vengan ahora otra vez? —preguntó Cleofás—. No queréis. Os quedaréis donde estáis, en este pueblo, aquí en Nazaret, y dejaréis que el Sumo Sacerdote escriba al César y le exponga esta blasfemia. Dejaréis que los mensajeros se hagan a la vela, como sin duda van a hacer. Y esperaréis su decisión.

Por un momento, la discusión pareció zanjada. Hasta que se alzó un grito en el umbral:

—¡Pero todo el mundo va allí! ¡Todos están yendo a Cesarea!

Al punto se oyeron protestas y declaraciones inflamadas.

Jasón sacudió la cabeza. Los ancianos se levantaron y los hombres buscaron a sus hijos.

Menahim se soltó del brazo de Santiago, desafiante, y éste enrojeció de ira.

—¡Los hombres ya están en camino! —gritó otra voz desde atrás—. ¡Una multitud se está dirigiendo hacia allí desde Jerusalén!

Jasón gritó por encima del tumulto:

—¡Eso es verdad! —dijo—. Los hombres no van a tolerar cruzados de brazos esa insolencia, esa blasfemia. Si José Caifás cree que vamos a tolerarlo para mantener la paz, ¡está muy equivocado! ¡Yo digo que vayamos a Cesarea, con nuestros vecinos!

Los gritos se hicieron más y más fuertes, pero él no había terminado.

—Digo que vayamos, pero no a armar disturbios, ¡no! Eso sería una locura. Cleofás tiene razón. No iremos a luchar, sino a presentarnos ante ese hombre, ese arrogante, para decirle que ha quebrantado nuestras leyes, ¡y que no nos marcharemos hasta que nos dé satisfacción!

Pandemónium. No quedó ningún hombre joven sentado en el suelo; todos se levantaron, algunos saltaban excitados como niños, y agitaban los puños con furia y daban brincos aquí y allá. La mayoría de las mujeres también se levantaron. Y otras tenían que levantarse para poder ver algo por encima de las demás. Los bancos de un extremo de la sala retumbaban con el baile de pies.

Menahim e Isaac se abrieron paso hasta colocarse junto a Jasón y formar un frente con él, mirando ceñudos a su tío. Menahim se agarró al manto de Jasón. Todos los jóvenes forcejeaban para acercarse a Jasón.

Santiago sujetó por el brazo a Menahim y, antes de que su hijo pudiera soltarse, Santiago le golpeó con el revés de la mano; pero Menahim se mantuvo firme.

—¡Parad esto ahora, todos vosotros! —gritó Santiago, en vano.

José resopló.

—¡Iréis a Cesarea y los romanos os recibirán con sus espadas! —gritó Cleofás—. ¿Creéis que les importará que llevéis dagas o rejas de arado?

El rabino repitió sus palabras. Los ancianos intentaban dar su opinión, pero era inútil con el griterío apasionado de los jóvenes.

Menahim saltó al banco junto a Jasón, y Cleofás perdió el equilibrio y cayó. Yo le ayudé a incorporarse.

—¡Vamos! —gritó Jasón—. Nos presentaremos delante de Poncio Pilatos en un número tan grande como no puede ni imaginar. ¿Es que Nazaret va a convertirse en sinónimo de cobardía? ¿Quién es el judío que no vendrá con nosotros?

Una nueva oleada de ruido recorrió el recinto, las paredes retemblaron, y por primera vez oí gritos en el exterior de la sinagoga. Fuera había gente que golpeaba las paredes. La noche estaba llena de gritos; podía oírlos a nuestras espaldas.

De pronto, la multitud que taponaba la puerta se apartó, empujada por un grupo de hombres vestidos para ir de viaje, con botas de vino colgadas del hombro. Yo conocía a dos de Caná, y a uno de Séforis.

—Esta noche nos vamos a Cesarea —anunció uno de ellos—. ¡Vamos a plantarnos delante del palacio del gobernador y allí nos quedaremos hasta que retire los estandartes!

José me indicó que le ayudara y se apoyó en Cleofás. Entre los dos conseguimos subirlo al banco. Menahim se apartó para dejarle sitio, e incluso Jasón se hizo a un lado.

José estuvo unos instantes en silencio, observando a la multitud enloquecida. Levantó las manos. El estruendo crecía como una ola dispuesta a arrasarlo todo, pero poco a poco empezó a amainar, y por fin, a la vista de aquel hombre de pelo blanco que no decía nada y sólo alzaba ambos brazos como si quisiera separar las aguas del mar Rojo, se hizo el silencio.

—Muy bien pues, hijos míos —dijo. Incluso los más leves murmullos se extinguieron—. Tenéis que aprender por vosotros mismos lo que nosotros sabemos tan bien, nosotros que vimos a Judas el Galileo y a sus hombres campar por estas colinas, y vimos en más de una ocasión entrar en esta tierra a las legiones romanas para restablecer el orden. Sí, sí. Muy bien pues. Aprenderéis por vosotros mismos lo que no queréis aprender de nosotros.

Santiago empezó a protestar. Agarró con fuerza a Isaac, que trataba de zafarse.

—No, hijo mío —dijo José a Santiago—. No pongas más tentaciones ante ellos. Si les prohíbes esto, lo harán de todos modos.

Estas palabras provocaron un aplauso de respeto en toda la sala. Hubo un murmullo y después un rugido aprobador.

José siguió hablando, con los brazos aún levantados.

—Mostrad al gobernador vuestro fervor, sí. Jasón, muéstrale tu elocuencia si lo deseas, sí. Pero marchad y hablad en son de paz, ¿me oís? Os digo que una vez las relucientes espadas de los romanos hayan salido de sus vainas, os cortarán en pedazos. Y un ejército romano se abrirá paso directamente hasta este pueblo.

Jasón se giró hacia él y le apretó la mano derecha como si los dos estuvieran sellando un acuerdo.

—¡Como que existe el Señor —exclamó Jasón—, tendrán que retirar esos estandartes o beber nuestra sangre! Tendrán que elegir.

Un clamor de aprobación le respondió.

Jasón bajó de un salto del banco y avanzó empujando a los que se encontraban en su camino, y muy pronto toda la asamblea se apretujaba en dirección a la puerta para seguirlo a la calle.

Los bancos resonaban con los golpes y los niños lloraban.

Cansado, el rabino se sentó e inclinó la cabeza sobre mi hombro. Mis sobrinos Shabi e Isaac escaparon de las manos de Santiago y se abrieron paso entre el gentío para alcanzar a su hermano Menahim.

Creí que Santiago iba a volverse loco.

Jasón se volvió en el umbral y su cabeza asomó por encima del mar embravecido de quienes le rodeaban. Miró atrás mientras todos pasaban a su lado.

—¿Y tú no vas a venir con nosotros, precisamente tú? —preguntó, y me señaló con el dedo extendido.

—No —dije. Sacudí la cabeza y aparté la mirada.

Mi respuesta no se percibió en el tumulto, pero el gesto sí. Él se fue, y todos los jóvenes lo siguieron.

La calle estaba tan llena de antorchas, que aquélla podía haber sido la noche del éxodo de Egipto. Los hombres reían y voceaban mientras entraban en sus casas para recoger sus ropas de lana gruesa y sus botas de vino para el viaje.

Santiago agarró a su hijo menor Isaac, y cuando éste, un niño de no más de diez años, intentó zafarse, de pronto Abigail lo sujetó y le preguntó furiosa:

—¡Cómo! ¿Vas a dejarme sola aquí? ¿Crees que nadie debe quedarse a defender el pueblo?

Lo sujetaba de un modo como su padre nunca podría hacer, porque a ella Isaac no le oponía resistencia. Y reunió a su alrededor a los demás niños pequeños, a todos los que pudo ver.

—Ven aquí, Yaqim, y tú también, Leví el Menor. ¡Y tú, Benjamín!

Ana la Muda iba recogiendo a los que llamaba.

Por supuesto, otras mujeres jóvenes o ancianas estaban haciendo lo mismo, y cada cual apartaba de la marcha a todos los que podía atrapar.

Y llegaron al pueblo más hombres de los alrededores, braceros, hombres de las aldeas próximas y lejanas a los que todo el mundo conocía, y finalmente vi también incluso soldados, soldados de Herodes en Séforis.

—¿Estás con nosotros? —me gritó alguien.

Me tapé los oídos y entré en la casa.

Abigail tiró de Isaac para hacerlo entrar con ella. Santiago estaba demasiado furioso para mirarle. Menahim y Shabi ya salían preparados para el viaje cuando entramos nosotros, y Menahim miró a Santiago como si fuera a echarse a llorar, pero luego dijo «¡Padre, tengo que ir!», y se marchó mientras Santiago volvía la espalda y hundía la barbilla en el pecho.

Isaac el Menor empezó a llorar.

—Son mis hermanos, tengo que ir con ellos, Abigail.

—No irás —repuso ella, y abrazó a los pequeños que había reunido, seis o siete en total—. Os digo que tenéis que quedaros todos conmigo.

Mi madre ayudó a José a sentarse junto al fuego.

—¿Cómo puede empezar lo mismo otra vez? —preguntó Cleofás—. ¿Y dónde está Silas? —Miró alrededor, presa de un pánico repentino—. ¿Dónde están mis hijos? —rugió.

—Se han ido —dijo Abigail—. Entraron en la asamblea preparados ya para marcharse. —Sacudió la cabeza, compadeciéndose de él. Tenía a Isaac sujeto por la muñeca, aunque él forcejeaba.

El padre de Abigail, Shemayah, entró en la habitación cojeando, sin aliento, desencajado; vio a Abigail rodeada de niños, hizo un gesto de disgusto y se marchó a su casa antes de que nadie pudiera ofrecerle un vaso de vino o de agua.

Abigail se sentó entre los chiquillos, todos de diez u once años, y sólo uno, Yaqim, de doce. Sujetaba con firmeza la mano de Yaqim, y la de Isaac con su otra mano. Yaqim no tenía madre, y muy probablemente su padre estaba borracho en la taberna.

—Os necesito a todos aquí, os necesitamos —insistía Abigail—, y no voy a discutir más. Ninguno de nosotros se va a marchar. Os quedaréis esta noche aquí, bajo este techo, donde Yeshua y Santiago puedan vigilaros. Y vosotras, niñas, venid esta noche conmigo, y tú también. —Dio una palmada a Ana la Muda. De pronto se acercó a mí—. Yeshua —dijo—. ¿Qué crees que ocurrirá?

La miré. Qué tierna y curiosa se mostraba, qué lejos de cualquier temor real.

—¿Hablará Jasón en nombre de ellos? —preguntó—. ¿Planteará el caso ante el gobernador en su nombre?

—Queridísima niña —dije—, hay mil Jasones que viajan en este momento a Cesarea. Hay sacerdotes y escribas y filósofos de camino.

—Y bandidos —observó Cleofás, disgustado—. Bandidos que se mezclarán con la multitud, que provocarán disturbios cuando se den cuenta de que pueden tener la pelea que andan buscando, la pelea a la que nunca han renunciado, la pelea de la que siguen hablando en todas las cuevas y tabernas de la región.

Abigail sintió temor de pronto, y lo mismo les ocurrió a todas las mujeres, hasta que Santiago pidió a Cleofás que se marchara, y José se lo repitió.

Entró en la habitación la vieja Bruria, la mayor de nuestra casa, una mujer a la que no nos unían lazos de parentesco pero que vivía con nosotros desde mucho tiempo atrás, cuando había corrido la sangre en el país después de la muerte de Herodes el Grande.

—Basta —dijo Bruria con tono sombrío—. Reza, Abigail, reza como rezamos todos. Los maestros del Templo están en camino. Estaban en camino desde antes de que se encendieran las hogueras nocturnas de señales en las montañas.

Se sentó junto a José dispuesta a esperar.

Quería que José dirigiera la oración, pero él pareció haberlo olvidado. Llegó su hermano Alfeo, y sólo entonces algunos caímos en la cuenta de que ni siquiera había asistido a la asamblea. Tomó asiento junto a su hermano.

—Muy bien, pues —dijo Bruria—. Oh Señor, Creador del Universo, apiádate de Israel tu pueblo. Durante toda la noche se oyó pasar gente que se dirigía al sur.

A veces, cuando no podía conciliar el sueño, salía al patio y me quedaba allí, cruzado de brazos en la oscuridad, oyendo las voces roncas de la taberna.

Al alba llegaron al pueblo hombres a caballo y leyeron en voz alta breves mensajes, en los que se decía que tal o cual ciudad había enviado a todos sus habitantes al sur para protestar ante el gobernador.

Incluso los hombres más ancianos se pusieron sus mantos, empuñaron sus báculos y salieron a unirse a quienes marchaban hacia el sur, algunos incluso montados en asnos y envueltos en mantas hasta las orejas.

Santiago trabajaba sin decir palabra, y golpeaba con el martillo más fuerte de lo necesario para clavar el clavo más minúsculo.

María, la esposa de Cleofás el Menor, vino deshecha en llanto. No sólo se había marchado él, sino también su padre Leví y sus hermanos. Y corría la voz de que todo hombre que valía su sal se estaba uniendo a la marcha a Cesarea.

—Bueno, pues este hombre que vale su sal no ha ido —dijo Santiago. Guardó los tablones en el carro—. No vale la pena ir a trabajar —añadió—. Esto puede esperar. Todo puede esperar, como esperamos que se abran las compuertas del cielo.

El cielo tenía un color azul pálido sucio. Y el viento traía los olores de los establos y corrales sin limpiar, de los campos agonizantes, de la orina que atraía las moscas a la tierra humedecida.

La noche siguiente fue tranquila. Todos se habían ido. ¿Qué podían decir las hogueras de señales, sino que más y más gente se había echado al camino, que venían desde los cuatro puntos cardinales? Y los estandartes de la discordia seguían enhiestos en la Ciudad Santa.

Al amanecer, Santiago me dijo:

—Yo solía pensar que tú ibas a cambiar las cosas.

—Guarda tus recuerdos para ti —dijo mi madre. Puso el pan y las olivas sobre la mesa y llenó los vasos de agua.

—Sí —dijo Santiago, mirándome de mal humor—. Solía pensar que ibas a cambiarlo todo. Solía creer que lo había visto con mis propios ojos: los regalos de los Magos expuestos sobre la paja, las caras de los pastores que oían coros de ángeles en el cielo. Yo creía en esas cosas.

—Santiago, te lo suplico —dijo mi madre.

—Déjalo —dijo José en voz baja—. Santiago ha dicho esas cosas muchas veces. No importa escuchárselas otra vez.

—Y tú, padre —preguntó Santiago—, ¿nunca has pensado qué sentido tenía todo aquello?

—El Señor creó el Tiempo —respondió José—. Y a su debido momento el Señor revelará lo que desee revelar.

—Y mis hijos habrán muerto —repuso Santiago. La angustia desencajaba sus facciones—. Mis hijos morirán como otros han muerto antes, ¿y para qué?

Entró Abigail con Ana la Muda y su habitual acompañamiento de chiquillos.

—Por favor, no hables más de eso —dijo mi tía Esther.

—Mi padre dice que todo el mundo ha ido a Cesarea —anunció Abigail—. Hemos tenido carta de nuestros primos de Betania. Nuestros primos y los vuestros, todos los de Betania, también han ido.

Rompió a llorar. Los niños la rodearon para consolarla.

—Todos volverán a casa —dijo Isaac, su pequeño protector, y se arrimó a ella—. Te lo prometo, Abigail. Te doy mi palabra. Volverán. Mis hermanos volverán. Para, o vas a hacer que llore Ana la Muda...

—¿Y quién se ha quedado en Nazaret? —preguntó Santiago en tono amargo. Se volvió hacia mí—. ¡Ah! —dijo con sorpresa burlona—. Pues Yeshua Sin Pecado.

Abigail levantó la vista, asustada. Sus ojos buscaron los de todas las personas presentes. Me miró.

—¡Y Santiago el Justo! También él se ha quedado —declaró mi tía Esther.

—¡Santiago el Refunfuñón! —saltó la tía Salomé—. Cállate, o vete tú también.

—No, no... callaos todos —dijo mi madre.

—Sí, por favor, no era mi intención... Lo siento —dijo Abigail.

—No has dicho nada malo —dije.

Así pasó aquel día.

Y el siguiente.

Y el otro.

9

Los bandidos bajaron al pueblo al amanecer.

Santiago y yo acabábamos de salir de la casa del rabino. Nos detuvimos en la cima de la colina y los vimos —dos hombres andrajosos a caballo—, galopando ladera abajo hacia el arroyo.

Las mujeres, con sus cántaros de agua y sus bultos de ropa blanca, gritaron y se dispersaron en todas direcciones, y los niños corrieron con ellas.

Santiago y yo dimos la alarma. El cuerno soplaba ya cuando corrimos hacia los hombres.

Uno de los dos guio su caballo colina arriba contra nosotros, pero como la gente ya salía de sus casas, intentó arrollarnos y caímos al suelo mientras los cascos repiqueteaban más allá de nuestras cabezas.

—¡Abigail! —gritó Santiago.

—¡Abigail! —gritaron uno tras otro.

Cuando me puse en pie, con la mano que me sangraba, vi lo que todos veían: el hombre que había quedado atrás la había cogido por la cintura. Los niños le lanzaban piedras. Isaac se había agarrado al hombro izquierdo del hombre.

Abigail gritaba y daba puntapiés. Los niños se agarraban a sus faldas.

Todas las mujeres corrieron hacia el hombre y arrojaron sus cántaros contra el caballo.

Llegamos al lecho del arroyo cuando el rufián, atacado por todas partes, dio un tirón y se quedó en la mano con el velo y el manto de Abigail, quien al soltarse cayó de bruces sobre el suelo rocoso. Enarbolando sus ropas como una bandera, el hombre, agachado para evitar la lluvia de piedras que le lanzaban, huyó al galope tan deprisa como pudo.

Abigail se incorporó, apoyándose en las rodillas e inclinada hacia delante. Llevaba puesta su túnica de mangas largas, y el cabello le caía sobre la frente y los hombros. Isaac el Menor la rodeó con sus brazos para protegerla de las miradas de todos.

Yo llegué a su lado, me arrodillé frente a ella y la sostuve por los hombros.

Ella gritó mi nombre y se abrazó a mí. La sangre corría por su frente y su mejilla.

—¡Se han ido! —anunció Santiago.

Todas las mujeres nos rodearon. Mi tía Esther gritó que le había dado de lleno al hombre con su cántaro. Se lo había roto en toda la cabeza. Los niños lloraban y correteaban de un lado a otro.

Llegaron gritos de arriba.

—¡El otro se ha marchado! ¡Era una maniobra de distracción! —exclamó Santiago—. Querían a una mujer, esos paganos sin Dios, mirad esto, mirad lo que han hecho.

—Ya ha pasado —susurré a Abigail—. Deja que te vea. No son más que arañazos y rozaduras.

Ella asintió. Me había comprendido.

Entonces oí una voz por encima de mi cabeza.

—Apártate de mi hija. Quítale las manos de encima.

Apenas podía creer que esas palabras fueran dirigidas a mí.

Mi tía Esther me hizo un gesto para que me apartara. Se colocó junto a Abigail mientras ésta se ponía de pie.

—No ha sufrido ningún daño —dijo la tía Esther—. Estábamos todos aquí y le hemos dado pedradas y golpes para una buena temporada, puedes asegurarlo.

Hubo un coro de voces confirmándolo.

Shemayah miraba ceñudo a Abigail mientras ella seguía allí, temblorosa, con su corta túnica de algodón, el cabello en desorden, las heridas sangrantes en su rostro.

Yo me quité el manto y rápidamente le cubrí los hombros. Pero él me empujó y me hizo perder el equilibrio, y el manto resbaló antes de que ella lo sujetara. Las mujeres volvieron a colocárselo apresuradamente. Su túnica era bastante exigua, se veía una porción considerable de su cuerpo, pero ahora estaba envuelta como de costumbre en un manto que la cubría desde los hombros hasta el suelo. Y mi tía Salomé le recogió en la nuca el cabello suelto.

Shemayah se hizo cargo de su hija. La cogió en brazos como si fuera una niña y subió con ella la colina.

Las mujeres corrieron tras él, y también los niños, que se arracimaban y le molestaban a cada paso.

Santiago y yo esperamos. Luego, despacio, subimos la colina. Cuando llegamos a su casa, las mujeres estaban fuera, mirando la puerta.

—¿Qué pasa? ¿Por qué no habéis entrado? —les pregunté.

—No quiere dejarnos entrar.

Mi madre salió de nuestra casa con la vieja Bruria.

—¿Qué ha ocurrido?

Todo el mundo le dio su versión al mismo tiempo.

La vieja Bruria llamó a la puerta.

—¡Shemayah! —llamó—. Ábrenos ahora mismo. La chica nos necesita.

La puerta se abrió y apareció Ana la Muda, que cayó sobre el grupo como si fuera un bulto de ropa.

La puerta se cerró de golpe.

Ana estaba aterrada.

Yo llamé a la puerta. Hablé junto a la madera, mientras hacía gestos a Santiago de que estuviera quieto y no intentara detenerme.

—Shemayah —llamé—. Las mujeres han venido a ayudar a Abigail, déjalas entrar.

—¡Está intacta! —gritó mi tía Salomé—. Todos lo hemos visto. ¡Se resistió, y él la soltó! Todos lo hemos visto.

—Sí, todos lo hemos visto —corroboró la tía Esther—. Vosotros los hombres marchaos, dejadnos esto a nosotras.

Obedecimos y retrocedimos unos pasos. Habían venido más mujeres. La esposa de Santiago, Mara, y María, la de Cleofás el Menor, y la mujer de Silas, y por lo menos una docena más. Las más ancianas empezaron a aporrear la puerta.

—¡Derribadla! —gritó Esther, y todas se lanzaron a golpes y patadas, hasta que la puerta se soltó de los goznes y cayó hacia dentro.

Me moví rápidamente para ver la habitación en penumbra. Sólo pude atisbar un momento, antes de que se llenara de mujeres. Abigail, pálida y llorosa, estaba desmadejada como un bulto de ropa arrojado a un rincón, y su cabeza aún sangraba.

Los rugidos de protesta de Shemayah quedaron ahogados por los gritos de las mujeres. Isaac, Yaqim y Ana la Muda intentaron en vano entrar en la casa: las mujeres la llenaban por completo.

Y fueron las mujeres quienes volvieron a colocar la puerta en su lugar y la cerraron delante de nosotros.

Regresamos a nuestro propio patio y Santiago se desahogó con una sarta de palabras subidas de tono.

—¿Está loco? —pregunté.

—No seas ingenuo —dijo mi tío Cleofás—. El bandido le desgarró el velo.

—¿Qué importancia tiene un velo? —replicó Santiago. Isaac y Yaqim llegaron llorosos—. ¿Qué importa, en el nombre de Dios, que ese hombre le quitara el velo?

—Shemayah es un hombre viejo y estúpido —dijo Cleofás—. No le estoy defendiendo. Sólo te respondo porque parece que alguien tiene que responderte.

—Nosotros la salvamos —dijo Isaac a su padre, y se secó las lágrimas.

Santiago besó la cabeza de su hijo y lo abrazó.

—Lo hicisteis muy bien, todos vosotros —dijo—. Yaqim, tú y tú. —Señaló a los pequeños que rondaban por la calle—. Entrad aquí.

Pasó una hora larga antes de que mi madre volviera con la tía Esther y la tía Salomé.

Salomé estaba furiosa.

—Ha llamado a la comadrona.

—¡Cómo puede hacer una cosa así! —exclamó Santiago—. Todo el pueblo lo ha visto. No ocurrió nada. Ese hombre tuvo que soltarla.

Mi madre se sentó junto al brasero, llorosa.

Había gritos en la calle, en su mayor parte voces de mujeres. Yaqim e Isaac corrieron fuera antes de que nadie pudiera pararles.

Yo no me moví.

Finalmente llegó la vieja Bruria.

—La comadrona ha venido y se ha vuelto a marchar

—informó—. Sepan todos los de esta casa y los de todas las casas, y todos los patanes, milhombres y haraganes de este pueblo que deseen saberlo, y se inquieten y chismorreen sobre este asunto, que la chica está intacta.

—Bueno, no puede decirse que sea una sorpresa —dijo la tía Esther—. ¿Y la has dejado sola con él?

La vieja Bruria hizo un gesto expresivo de que más no podía hacer, y se marchó.

Ana la Muda, que lo había visto todo, se levantó en silencio y se deslizó por la puerta.

Yo quise seguirla. Quería ver si Shemayah la dejaba entrar o no, pero no lo hice. Sólo mi madre fue detrás de ella, y al volver poco después hizo un gesto afirmativo, de modo que todo había acabado por el momento.

A mediodía, Shemayah y sus braceros salieron a caballo en dirección a las colinas. Dentro de la casa quedaron con Abigail y Ana la Muda sus dos sirvientas, que atrancaron la puerta cuando Shemayah se fue, como él les había dicho que hicieran.

Sabíamos que no encontraría a los bandidos, pero igual rezamos para que no los encontrara. No sabría qué hacer frente a hombres armados con dagas y espadas. Y el puñado de hombres enfurecidos que le acompañaban eran sólo ancianos y los hombres más débiles, los que no habían ido a Cesarea a manifestarse.

En algún momento de las primeras horas de la tarde, Shemayah volvió. Oímos el ruido de los caballos, que no es un ruido habitual en nuestra calle.

Mi madre y mis tías fueron a su puerta y le pidieron ver a Abigail. Él no contestó.

Durante todo el día siguiente nadie entró ni salió por la puerta de Shemayah. Los braceros que empleaba estuvieron un rato esperando, y luego se dispersaron.

Lo mismo ocurrió al día siguiente.

Mientras, a cada pocas horas iban llegando noticias de Cesarea.

Y al tercer día después del ataque de los bandidos, recibimos una larga carta escrita por Jasón, que fue leída en voz alta en la sinagoga. Decía que la multitud se había reunido pacíficamente delante del palacio del gobernador, y que no se movería de allí. Aquello consoló al rabino y a la mayoría de nosotros, aunque algunos se limitaron a preguntar qué haría el gobernador si aquella muchedumbre no se marchaba.

Ni Shemayah ni ninguna persona de su casa asistió a la asamblea.

Al día siguiente, Shemayah salió a los campos al amanecer. Nadie contestó cuando las mujeres llamaron a la puerta de la casa. Ana la Muda apareció por la tarde.

Entró en nuestra casa y dijo a las mujeres por gestos que Abigail estaba tendida en el suelo. Que Abigail no quería comer nada. Que Abigail no quería beber nada. A los pocos instantes se marchó corriendo, temerosa de que Shemayah volviera y la encontrara allí, y se metió en la casa, y de nuevo fue atrancada la puerta.

No supe todas esas cosas hasta que volví de trabajar en Séforis. Mi madre me contó lo que les había hecho saber Ana.

La casa estaba llena de tristeza.

José y Bruria fueron juntos y llamaron. Eran los más ancianos de la familia, nadie podía negarse a una visita suya. Pero Shemayah no contestó. Y muy despacio, Bruria ayudó a José a volver a nuestra casa.

A la mañana siguiente [illegible]

juntos, las mujeres [illegible]

ños que [illegible]

otros que lo [illegible]

ñó, y lo [illegible] José [illegible]

nunca [illegible]

todos con [illegible]

El lugar estaba [illegible]

cluso lo había [illegible]

co. El rabino ocupó su lugar [illegible]

cha de José.

—El [illegible]

ano—. Ese hombre no [illegible]

pariente [illegible]

vieron que ella se resistía [illegible]

como su padre [illegible]

días. Ana la [illegible]

dice, lo mejor que pueda [illegible]

El rabino [illegible]

el manto. Sus ojos [illegible]

—Lo único que [illegible]

10

A la mañana siguiente fuimos a ver al rabino, todos juntos, las mujeres que habían estado en el arroyo, los niños que las habían acompañado allí, y Santiago, yo y otros que lo habíamos visto. La vieja Bruria nos acompañó, y lo mismo hizo José, a pesar de que le costó más que nunca subir la colina. Pedimos una reunión al rabino y todos entramos en la sinagoga. Cerramos las puertas.

El lugar estaba limpio y silencioso. El sol matinal incluso lo había templado un poco. José se sentó en el banco. El rabino ocupó su lugar habitual, en su silla a la derecha de José.

—El caso es el siguiente —empecé, de pie ante el rabino—. Ese hombre no hizo ningún daño a Abigail, nuestra pariente. Todos los que están aquí vieron lo que sucedió; vieron que ella se resistía; vieron que él la soltaba. Vieron cómo su padre se la llevó a su casa. Ahora han pasado varios días. Ana la Muda es la única que entra y sale de esa casa, y dice, lo mejor que puede, que Abigail no come ni bebe.

El rabino asintió. Sus hombros estaban hundidos bajo el manto. Sus ojos rebosaban compasión.

—Lo único que pedimos —proseguí— es que se permita a sus primas aquí presentes, estas mujeres, curarle los cortes y magulladuras que se hizo al ser arrastrada por el suelo. Pedimos que se les permita acompañarla y cuidar de que tome todo el alimento y la bebida que debería. Su padre no lo permite. Las sirvientas son viejas que chochean. Era Abigail quien cuidaba de esas sirvientas. ¿Cómo pueden ellas cuidar de Abigail? Sin duda Abigail sigue asustada, y llora y sufre sola.

—Sé todo eso —respondió el rabino con tristeza—. Sabéis que lo sé. Y que el padre salió a perseguir a esos malhechores. Se fue a caballo para teñir de sangre su espada mohosa. Y no fue el único. Esos bandidos también atacaron Caná. No, no raptaron ninguna mujer, sólo se llevaron lo que pudieron. Los soldados del rey los atraparán. Han enviado una cohorte a las colinas.

—Que sea lo que Dios quiera —dije—. Lo que nos preocupa es nuestra pariente Abigail.

—Rabino, tienes que obligarle a que nos deje entrar —terció la vieja Bruria—. La chica necesita atención. Podría estar perdiendo la razón.

—Y lo que es peor, en el pueblo se habla —añadió la tía Esther.

—¿Se habla? —preguntó Santiago—. ¿Qué estás diciendo?

Mis tías se indignaron con Santiago; mi madre sólo estaba consternada.

—Si no me fuera imprescindible bajar al mercado, renunciaría a ir —dijo la tía Esther.

Mara, la esposa de Santiago, asintió y dijo que a ella tampoco le quedaba otra opción.

—¿Qué es lo que dicen? —preguntó el rabino en tono cansado—. ¿De qué hablan?

—De todo lo imaginable —respondió la tía Esther—,

¿qué es lo que esperabas? Dicen que ella holgazaneaba, que les cantaba a los niños, que bailaba como siempre le gusta hacer. Que siempre procura atraer la atención. La bella Abigail, Abigail la de la voz hermosa. Que siempre se apartaba de los demás. Que se había quitado el velo para exhibir su cabello. Y siguen, y siguen, y siguen. ¿Me he dejado algo? ¡Nada de todo eso, ni una palabra, ni una sola palabra, es verdad! Nosotros estábamos allí y lo vimos. De ser la más joven y la más bonita, de eso es culpable, ¿y qué culpa es ésa?

Yo tomé asiento en el banco, no lejos de José, y apoyé los codos en las rodillas. Sospechaba muchas cosas, pero aborrecí escucharlas. Tuve ganas de taparme los oídos.

Mi madre habló en voz baja:

—Shemayah está atrayendo la vergüenza sobre él con su manera de comportarse —dijo—. Rabino, por favor, ve con la vieja Bruria y háblale, consigue que la chica tenga compañía y que venga a visitarnos como antes.

—¿A vosotros? —preguntó el rabino—. ¿Crees que la dejará ir a vuestra casa?

Todos se quedaron mirándolo en silencio. Yo me enderecé en el asiento y le miré también.

Parecía tan triste como antes, con la mirada fija en un punto lejano, mientras meditaba.

—¿Y por qué no a nuestra casa? —preguntó la tía Esther.

—Yeshua —dijo el rabino. Se levantó y me miró con ojos amables—. ¿Qué hiciste en el arroyo? ¿Qué es lo que hiciste?

—¡Cómo! ¿Qué le estás preguntando? —saltó Santiago—. No hizo nada. ¡Fue a ayudarla, como haría un hermano!

La tía Esther estalló:

—Estaba caída de bruces en el suelo pedregoso, donde la había tirado aquel salteador. Sangraba y estaba aterrorizada. Él fue a ayudarla a ponerse en pie. Le dio su manto.

—Ah —dijo el rabino.

—¿Alguien dice otra cosa? —preguntó Santiago.

—¿Quién habla de ese asunto? —preguntó la tía Esther.

—¿Tienes dudas sobre esa cuestión? —preguntó Bruria—. Señor Jacimus, no irás a pensar...

—De ninguna manera —la atajó el rabino—. No tengo dudas. De modo que la ayudaste a ponerse en pie y le diste tu manto.

—Así es —contesté.

—¿Y entonces? —preguntó Bruria.

—Cada cosa a su tiempo —dijo el rabino—. ¿Qué bien puede resultar de que un fariseo vaya a hablar con un hombre que no quiere saber nada de fariseos, ni de esenios ni de nadie que no sean viejos granjeros como él, que entierran su oro en el suelo? ¿Qué bien puede resultar de que yo vaya a llamar a su puerta?

—¿Entonces esa pobre niña ha de quedarse encerrada en su casa con un hombre violento que no es capaz de hilar tres palabras seguidas más que cuando está fuera de sí por la rabia? —preguntó Bruria.

—Esperar, eso es lo que tenéis que hacer —dijo el rabino—. Esperar.

—La chica tiene que ser atendida ahora —insistió Bruria—. Hay que curarla, y debería poder salir de casa y visitar a sus parientes, y contar su historia en voz baja a las personas más próximas, y volver al arroyo de nuevo, en compañía de sus parientes. ¡Y poder entrar y salir libremente de su casa! ¿Qué dirán de ella si está encerrada y nadie puede verla?

—Lo sé, Bruria —dijo el rabino, sombrío—. Y vosotros sois sus parientes.

—¿Cuántos testigos hacen falta para esto? —preguntó el tío Cleofás—. La chica no hizo nada. Nada le ocurrió, excepto que alguien intentó hacerle daño, y a ese alguien se lo impidieron.

—Todos los testigos eran mujeres y niños —observó el rabino.

—¡No, no lo eran! —intervino Santiago—. Mi hermano y yo lo vimos todo. Mi hermano...

Se detuvo y me miró. Le devolví la mirada. No tuve necesidad de decirle nada. Comprendió.

—Di lo que sea —pidió Bruria, y su mirada pasaba de mí a Santiago y al rabino—. Dilo en voz alta.

—Yeshua —dijo el rabino—, si al menos no te hubieras acercado a esa chica y no la hubieras abrazado.

—¡Buen Dios, rabino! —exclamó Santiago—. Sólo hizo lo natural. Sólo pretendía ser amable y solícito.

Mi madre sacudió la cabeza.

—Somos la misma familia —murmuró.

—Lo sé muy bien. Pero ese hombre, Shemayah, no es familiar vuestro; su esposa lo era, sí, y Abigail también lo es, sí. Pero ese hombre no. Y no tiene una mente muy clara.

—No lo entiendo, de verdad —dijo Santiago—. Ten paciencia conmigo. ¿Me estás diciendo que ese hombre piensa que mi hermano hizo daño a Abigail?

—No; sólo que se tomó libertades con ella...

—¡Que se tomó libertades! —gritó Santiago.

—No es lo que yo pienso —dijo el rabino—. Sólo estoy diciendo por qué ese hombre no os deja entrar. Y a pesar de que sois sus parientes, sus únicos parientes en Nazaret, os digo que esperéis, porque esperar a que cambie de actitud es lo único que podéis hacer.

—¿Qué pasa con los parientes de otros lugares? —preguntó Bruria.

—¿Qué sugieres, escribir a los parientes de Betania? —replicó el rabino—. ¿A la casa de José Caifás? La carta tardaría varios días en llegar allí, y el Sumo Sacerdote y su familia tienen preocupaciones mayores que los chismorreos de este pueblo, ¿hace falta que os lo recuerde? Además, ¿qué crees que pueden hacer vuestros parientes de Betania?

Siguieron hablando en voz baja, en tono razonable. José había cerrado los ojos como si durmiera, allí sentado. Bruria insistió como si aquello fuera un nudo que tenía que desatar, e hizo acopio de paciencia.

Yo oía sus voces, pero las palabras no calaban en mi interior. Permanecí sentado solo, mirando los rayos de sol que atravesaban el polvo, y sólo pensaba en una cosa: había hecho daño a Abigail. Me había sumado a sus enemigos. En una época de violencia y desgracia, había añadido uno más a sus pesares. Yo había hecho eso. Y no podía quedar así.

Por fin, hice un gesto para pedir silencio y me puse en pie.

—Sí, qué pasa, Yeshua —dijo el rabino.

—Sabes que iría a pedir perdón a ese hombre —dije—, pero él nunca me permitirá decirle esas cosas.

—Es verdad.

—Iría con mi padre, y mi padre se lo rogaría —proseguí—, pero él no nos dejará cruzar su puerta.

—Cierto.

—Pues bien, has hablado de parientes. Hablabas de los parientes de otros lugares.

—Lo he hecho.

—Por la parte de su madre, la nuestra, tenemos primos

en Séforis. Pero aún más importante, tenemos primos en Caná, a los que tú conoces muy bien. Hananel de Caná es un viejo amigo tuyo. Es el primero que me ha venido a la mente, pero hay más. Sin embargo, Hananel habla bien y es un hombre muy persuasivo.

Todo el mundo estuvo de acuerdo. Todos conocíamos a Hananel.

—Hace unos años nosotros colocamos los suelos de mármol de su casa —añadí—. En varias ocasiones he visitado a Hananel, y tú conmigo, cuando peregrinábamos al festival.

—Sí, sí, y precisamente la última vez —dijo el rabino—, yendo todos juntos, Hananel dijo que mi sobrino Jasón era un incordio y una maldición, si no recuerdo mal.

—No estoy hablando de Jasón —dije—. Hablo de Abigail. Seguramente el viejo está en su casa. De haber ido de Caná a Cesarea nos habría llegado la noticia, y no ha sido así. Él conoce a toda la familia de la madre de Abigail, y su parentesco con ella es más cercano que el nuestro.

—Es verdad —dijo Santiago—, pero es un viejo que vive solo, sin hijos vivos y con un nieto que anda recorriendo mundo, a saber dónde. ¿Qué podemos hacer?

—Puede venir a hablar con Shemayah y razonar con él sobre este asunto —dije—. Y puede escribir a parientes de otras partes que nosotros no conocemos y encontrar algún sitio donde alojar a Abigail. Ella no puede seguir languideciendo en este pueblo. No tiene por qué soportar algo así. Puede irse con sus parientes de Séforis, de Cafarnaum o de Jerusalén. Hananel los conoce. Hananel es un erudito, un escriba y un juez. Podrá hablar en lugares donde nosotros no seríamos escuchados.

—Es posible... —murmuró el rabino.

—Iré a verle —dije—. Le explicaré lo ocurrido. Le expondré toda la historia tal como yo la vi, y mi propia torpeza. Y él comprenderá.

—Yeshua, tienes el valor de Daniel para poner de ese modo la cabeza en la boca del león —dijo el rabino—. Sin embargo...

—Iré. No tardaré más de una hora en llegar a Caná. ¿Qué puede hacerme? ¿Echarme de su casa?

—Tiene una lengua maligna, Yeshua. En comparación con él, Shemayah es alegre y dulce como una florecilla del campo. No hace otra cosa que lamentarse por su nieto vagabundo, y culpa de todo a Jasón. Lo culpa de que su nieto esté bajo un pórtico en Atenas discutiendo con los paganos.

—Eso no me importa, rabino —dije—. Puede cubrirme de insultos. Posee una lengua ligera e infatigable, y no tiene la menor paciencia con personas como Shemayah. Pero creo que por encima de todo se acordará de su parienta Abigail.

José levantó la mano.

—Sé que se acordará de su parienta Abigail —dijo en voz baja. Hizo una pausa como si se le hubiera escapado la idea y luego prosiguió, con la mirada perdida—: En las peregrinaciones nos fijamos en los jóvenes, les observamos en el camino como si fueran bandadas de pájaros. Yo he visto muchas veces sonreír a Abigail. Cuando las muchachas rompían a cantar, Hananel escuchaba a Abigail. Y una vez, después de beber una copa de vino en el patio del Templo, estando los dos sentados en el último día de las fiestas, me dijo que seguía oyendo su voz en sueños. No hace mucho de eso, tal vez dos años.

Eso era exactamente lo que también yo había observado.

—Iré a hablar con él, entonces —dije—. Le pediré que

encuentre un hogar para Abigail, lejos de Nazaret, donde pueda ser debidamente atendida y tenga la posibilidad de descansar.

José me dirigió una mirada.

—Ve con cuidado, hijo —dijo—. Será amable con Abigail, pero no contigo.

—Te reñirá —me advirtió el rabino—, intentará acorralarte con sus argumentos y te acosará a preguntas. No tiene nada más que hacer en su biblioteca. Y está amargado por la marcha de su nieto, a pesar de que fue él mismo quien lo echó fuera.

—Dame entonces algún consejo para este viaje, maestro —pedí.

—Sabes muy bien qué has de decirle. Explícate como lo has hecho aquí. Y no dejes que te eche de la casa. Si fuera yo contigo nos pelearíamos de inmediato, él y yo.

—Pídele que escriba a la familia que considere más adecuada para ella —terció José—. Y cuando estén hechos los arreglos y haya preparado un lugar para ella, haz que venga aquí. Que venga aquí, y el rabino y yo le acompañaremos a visitar a Shemayah.

—Sí —dijo el rabino—, ese hombre no podrá negar la entrada a Hananel.

—¡Hananel! Es el hijo de los insultos —mascullό Santiago—. Una vez, mientras yo estaba trabajando en levantar las paredes de su casa, me dijo que, de poder hacerlo, se llevaría una a una las piedras de Caná para alejarla más de Nazaret.

El rabino rio.

—Puede que se sienta orgulloso de sacar a la niña que tanto quiere de esta aldea miserable —sugirió Bruria.

José sonrió, guiñó un ojo y señaló divertido a Bruria. Luego me miró y murmuró:

—Puede que ése sea el camino para llegar al corazón de ese hombre.

Me despedí del rabino y dejé que me acompañaran de vuelta a casa. Para el viaje necesitaba un par de buenas sandalias y ropa limpia. El camino no era largo, pero soplaba un fuerte viento.

Una vez vestido y dispuesto, mi madre me llamó aparte, a pesar de que mis hermanos, que se preparaban para salir a trabajar, la estaban viendo.

—Escúchame, sobre tu actitud en el arroyo —dijo—. Fue un gesto cariñoso, no te quepa la menor duda.

Asentí.

—Es sólo que, bueno, ya ves, Abigail había pedido a su padre lo mismo que a nosotros. Le pidió a Shemayah que se interesara amablemente por ti. Fue antes de que ella misma hablara con nosotros y antes de que él le dijera que eso no era posible.

—Ya veo —dije.

—¿Te duele?

—No; lo comprendo. Él se ha sentido doblemente desairado.

—Sí, y no es un hombre sabio, y tampoco paciente.

¿Y qué era de ella, de mi Abigail? ¿Qué era de ella en ese mismo momento, cuando el sol golpeaba con dureza la aldea? ¿En qué habitación oscura estaba encerrada, rodeada sólo de sombras?

Empuñé un bastón por toda compañía y emprendí el camino a Caná.

11

En Israel hay escribas y más escribas. Un escriba de pueblo puede ser el hombre que redacta los contratos de matrimonio, las facturas de una venta y las peticiones de audiencia en la corte del rey o en el Sanedrín judío de Jerusalén. Un hombre así escribe cartas para cualquiera, y todos le pagan por hacerlo, y él puede leer las cartas recibidas y hacer que entiendan su contenido quienes no tienen facilidad para el lenguaje. Entre nuestra gente es bastante corriente saber leer, pero escribir exige experiencia y habilidad. Y por eso tenemos escribas de esa clase. En Nazaret hay tres o cuatro.

Y luego está la otra clase de escriba, el gran escriba que ha estudiado la Ley, que ha pasado años en las bibliotecas del Templo, el escriba experto en las tradiciones de los fariseos, el escriba capaz de discutir con los esenios cuando critican el Templo o al clero, un escriba que puede instruir a los niños que van al Templo a aprender todo lo que dicen la Ley y los Profetas y los Salmos y los demás escritos, cientos y cientos de libros.

Hananel de Caná había sido uno de esos grandes escribas. Había pasado su juventud en el Templo; y había sido juez durante muchos años en distintos tribunales que fallaban pleitos desde Cafarnaum hasta Séforis.

Pero ahora era demasiado viejo para eso, y durante muchos años se había preparado para ese día construyendo la casa más amplia y hermosa de Caná. Era una casa grande donde guardaba todos sus libros, que se contaban por miles. Y también había tenido en tiempos habitaciones para todos sus hijos e hijas. Pero ellos habían bajado a la tumba mucho tiempo atrás, dejándole solo en este mundo a excepción de las contadas cartas de una nieta que vivía en Jerusalén y tal vez, nadie lo sabía, también las cartas de un nieto que se había marchado de la casa resentido por su carácter autoritario, hacía dos años.

Santiago y José el Menor, Simón el Menor, Judas el Menor, así como mis primos y sobrinos y yo, habíamos construido la casa de Hananel. Había sido una de las alegrías de aquellos años, colocar suelos de mármol espléndido, pintar las paredes de rojo o azul marino, y decorarlas con orlas de flores y hiedra trepadora.

La casa era de una sola planta, de diseño griego, con un patio interior rodeado de habitaciones que se abrían a él, ideadas para proporcionar un marco elegante a los visitantes de Hananel: personas de clase elevada de Galilea, estudiosos de Alejandría, fariseos y escribas de Babilonia. Y ciertamente la casa fue visitada por gente así durante muchos años, y era corriente ver en el camino a viajeros que venían a traerle libros, sentarse en los jardines o bajo sus techos pintados y charlar con él de los sucesos del mundo y las cuestiones legales que tanto les gusta discutir a los hombres cuando se reúnen.

Pero a medida que la muerte fue vaciando la casa, y después de que la nieta de Jerusalén, viuda y sin hijos, se marchara a vivir con la familia de su marido, la casa fue quedando silenciosa.

Y así continuaba, un monumento a una vida posible pero no vivida, una fortaleza reluciente sobre la colina que dominaba el exiguo agrupamiento de viviendas que constituía la aldea de Caná.

Mientras esperaba delante de la verja de hierro, una verja que mis hermanos y yo habíamos colocado en sus goznes, eché una mirada a las tierras de Hananel, hasta donde alcanzaba a divisarlas. Y sabía que más allá, en torno a la distante colina de Nazaret, estaban las tierras de Shemayah.

Mucha gente que vivía en los pueblos de los alrededores trabajaba aquellas tierras: los campos, los huertos, los viñedos. Pero el mayor orgullo de los dos hombres eran sus olivares. Por todas partes vi esos árboles, y junto a ellos el inevitable *mikvah*, donde los hombres se lavaban antes de cosechar porque el aceite extraído de aquellas olivas tenía que ser puro si había de ir al Templo de Jerusalén, si había de ser vendido a los judíos piadosos de Galilea, Judea o lejanas ciudades del Imperio.

De vez en cuando todavía iban estudiantes a casa de Hananel, pero se decía que no era un maestro paciente.

Cuando entré en la casa, vi que estaba con uno de esos estudiantes, un joven llamado Nathanael, sentado a los pies del anciano, en la gran sala situada en el extremo más alejado del patio. Yo conocía apenas a aquel joven, de haberlo visto alguna vez en las peregrinaciones.

Pude verlos a los dos a alguna distancia, al sentarme en el atrio. Un paciente esclavo lavó mis pies después de darme a beber unos sorbos de agua de una copa de arcilla que le devolví, agradecido.

—Yeshua —me susurró el esclavo—, hoy está furioso. No sé para qué te ha llamado, pero ten cuidado.

—No me ha llamado, amigo. Por favor, ve a decirle que deseo hablar con él. Esperaré todo el tiempo que sea preciso.

El esclavo se alejó moviendo la cabeza, y yo me quedé sentado, disfrutando del calor que se filtraba a través del emparrado dispuesto sobre la puerta. El suelo de mosaico del patio había sido nuestro trabajo más logrado. Lo examiné ahora, y observé despacio los frondosos árboles plantados en grandes tiestos alrededor del estanque central, límpido como un espejo.

Ni ninfas ni dioses paganos decoraban esos suelos y muros, porque allí vivía un judío devoto. Sólo se encontraban los dibujos permitidos, círculos, tirabuzones y lirios trazados por nosotros con esmero para lograr una simetría perfecta.

Todo ello abierto al cielo, al cielo polvoriento por la sequía; abierto al frío. Pero por un momento era posible olvidar la sequía, al contemplar la superficie temblorosa del agua, los frutos de los árboles aún perlados de gotas del agua vertida sobre ellos por el esclavo con una jarra, y pensar que allá fuera el mundo no estaba reseco y moribundo. Y que los jóvenes no seguían acudiendo por centenares a la lejana ciudad de Cesarea.

El sol había calentado los suelos y paredes, un calor suave que sentía en manos y pies mientras permanecía sentado a la sombra.

Finalmente, el joven Nathanael se levantó y se marchó, sin siquiera advertir mi presencia. La verja se cerró con el chasquido habitual.

Recité una oración en silencio y seguí al esclavo a través de la pequeña selva de higueras y palmas bien regadas hasta el interior de la gran librería.

Allí habían colocado para mí un taburete, un sencillo

taburete de cuero y madera barnizada, muy elegante y cómodo.

Me quedé de pie.

El anciano estaba sentado a su escritorio, en una silla romana de patas de tijera, dando la espalda a una celosía, entre almohadones de seda y alfombras de Babilonia, con varios pergaminos desplegados ante él y muchos otros que asomaban en los estantes para libros que le rodeaban. Las paredes estaban cubiertas de estantes. El escritorio disponía de tinta, plumas y hojas sueltas de pergamino, y una tablilla de cera. Y una hilera de códices, esos pequeños libros de pergamino sujetos por cordeles que los romanos llaman *membranae*.

El sol se filtraba por la celosía, contra la cual rozaban con un murmullo peculiar las hojas de las palmeras del exterior.

El anciano estaba completamente calvo y sus ojos eran muy pálidos, de un gris descolorido. Tenía frío, a pesar de que había un brasero colgado en alto y el aire era templado, perfumado por el aroma a cedro.

—Acércate —dijo.

Lo hice y me incliné.

—Yeshua bar Yosef —dije—, de Nazaret. He venido a verte, señor, y agradezco que me recibas.

—Qué quieres —repuso con tono cortante—. ¡Venga, dilo!

—Es un asunto que concierne a unos parientes nuestros, señor. Shemayah el Hircano y su hija Abigail.

Se reclinó en su asiento, o, más exactamente, se hundió entre los ropajes que lo envolvían. Apartó la mirada y se arrebujó más en las mantas.

—¿Qué noticias tienes de Cesarea? —preguntó.

—Ninguna, señor, que no haya llegado a Caná. Los

judíos siguen reunidos allí. Han pasado ya muchos días. Pilatos no sale a hablar a la multitud. Y la multitud no se irá. Es lo que he oído esta mañana antes de salir de Nazaret.

—Nazaret —escupió la palabra—, donde apedrean a niños por culpa de los chismes de otros niños.

Incliné la cabeza.

—Yeshua, toma asiento en ese taburete. No te quedes ahí de pie como un criado. No has venido aquí para reparar los suelos, ¿verdad? Has venido por una cuestión que afecta a nuestra familia.

Me acerqué al taburete y me senté despacio. Lo miré. Nos separaba una distancia de unos dos metros. Él estaba a más altura debido a los almohadones, y pude ver su mano marchita y delgada, la osamenta de su rostro que se traslucía bajo la piel.

El aire junto al brasero era excesivamente caluroso. El sol me daba en la cara y acariciaba su nuca.

—Señor, te traigo una súplica angustiosa —dije.

—Ese loco de Jasón —dijo—, el sobrino de Jacimus, ¿está en Cesarea?

—Sí, señor.

—¿Y ha escrito desde Cesarea?

—Sólo las noticias que te he contado, señor. He hablado con el rabino esta mañana.

Silencio. Esperé. Al cabo dije:

—Señor, ¿qué es lo que deseas saber?

—Sencillamente si Jasón ha oído algo acerca de mi nieto Rubén. Si Jasón ha dicho alguna cosa sobre Rubén. No voy a humillarme preguntándole yo mismo, pero te lo pregunto a ti confidencialmente, bajo mi techo, en mi casa. ¿Ha hablado ese miserable vagabundo griego de mi nieto Rubén?

—No, señor. Sé que eran amigos. Es todo lo que sé.

—Y mi nieto podría estar casado a día de hoy en Roma o en Antioquía o donde sea que se encuentre, casado con una mujer extranjera, a pesar de que se lo he prohibido. —Inclinó la cabeza. Su actitud cambió. Pareció olvidarse de mi presencia, o desinteresarse de mí, si en algún momento había estado interesado—. Esto es lo que me he hecho a mí mismo —dijo—. Yo solo me he dado este castigo, he puesto el mar entre él y yo, he puesto el mundo entre mí mismo y la mujer con la que se ha casado y el fruto de su vientre, eso he hecho.

Esperé. Se volvió para mirarme como si despertara de un sueño.

—Y tú vienes a hablarme de esa pobre chica, esa niña, Abigail, que los bandidos arrastraron por el suelo, que asustaron con su brutalidad.

—Sí, señor.

—¿Por qué? ¿Por qué vienes aquí a contarme eso, y por qué tú, y qué quieres que haga al respecto? ¿Crees que no me preocupa la chica? Compadezco al hombre que tiene una hija tan bella, con una risa tan armoniosa, con ese precioso don para cantar y para recitar. La he visto crecer en el camino desde mi casa al Templo. ¡Bueno, qué pasa, qué quieres de mí!

—Siento, señor, causarte pena...

—Deja eso y continúa. ¿A qué has venido, Yeshua Sin Pecado?

—Señor, la muchacha se está muriendo encerrada en su casa. No come ni bebe nada. Y no es culpable de nada, salvo de que ella y su padre hayan sido insultados.

—Ese estúpido —masculló—. ¡Enviar a buscar a la comadrona para su propia hija! ¡Negarse a creer a su propia hija!

Esperé.

—¿Sabes por qué se marchó mi nieto a Roma, Yeshua bar Yosef? ¿Te lo ha contado ese loco de Jasón?

—No, señor. Nunca lo ha mencionado.

—Bueno, sabías que se marchó.

—Lo sabía, pero no por qué —expliqué.

—Porque quería casarse —dijo el anciano. Sus ojos brillaron y apartó la mirada—. Quería casarse, y no para emparentar con la familia de Jerusalén que yo le había indicado con mi dedo, sino con una chiquilla de pueblo, con una preciosa chiquilla de pueblo. Con Abigail.

Bajé los ojos, y guardé silencio. De nuevo esperé.

—¿No sabías eso?

—No, señor. Nadie me lo contó —dije—. Puede que nadie lo sepa.

—Oh, lo saben todos. Jacimus lo sabe.

—Hummm, ¿lo sabe?

—Sí, lo sabe de cierto y lo supo en su momento, y mi nieto, por iniciativa propia y sin mi bendición, fue a pedirla a Shemayah, y la chica no tenía más que trece años entonces —dijo excitado. Volvía a un lado y otro una mirada huidiza—. Y yo, yo le dije no, no lo harás, no vas a casarte con una muchacha tan joven, no ahora y no de Nazaret, no me importa que su padre sea rico, que su madre lo fuera, que ella sea rica. No me importa, te casarás con la mujer que yo elija, de tus parientes de Jerusalén. ¡Y ahora ocurre esto! Y tú me vienes con esta historia.

De nuevo sus ojos se fijaron en mí y parecieron verme por primera vez. Yo me limité a mirarlo.

—Todavía sigues jugando al tonto del pueblo, ya veo —dijo. Me examinó como si intentara memorizar mi cara y mis facciones.

—Señor, ¿escribirás una carta en favor de Abigail, una

carta a nuestros parientes de Jerusalén o Séforis, u otro lugar donde estén dispuestos a acogerla, para ofrecerle un hogar del que pueda formar parte? La muchacha es inocente. Es lista. Es cariñosa y amable. Y modesta.

Se sorprendió. Luego se echó a reír.

—¿Qué te hace pensar que Shemayah la dejará escapar de sus garras?

—Señor, si le encuentras ese hogar y escribes una carta exponiendo su caso, y si tú mismo, Hananel el Juez, vienes con nosotros, con el rabino y con mi padre José, sin duda podremos conseguir que Abigail marche sana y salva a algún lugar lejos de Nazaret. Él no podrá decir que no a los ancianos de Nazaret. No es fácil decir no a Hananel de Caná, a pesar de lo que haya sucedido antes... Y no estoy seguro de que Shemayah sepa nada de tu nieto ni de lo que ocurrió entre vosotros.

—Él estaba de acuerdo. —La respuesta llegó rápida como un relámpago—. Shemayah era favorable a ese matrimonio hasta que mi nieto admitió que no tenía mi bendición ni mi permiso.

—Señor, alguien tiene que hacer algo para salvar a esa niña. Se está muriendo. —Me puse en pie—. Dime a quién puedo dirigirme, a qué parientes de Séforis —dije—. Dame una nota de presentación. Dame una dirección. Iré allí.

—No te sienta bien esa irritación virtuosa —dijo burlón—. Siéntate. Y quédate tranquilo. Encontraré un sitio para ella. Ya sé cuál. Conozco más de uno.

Suspiré, y murmuré una corta plegaria de acción de gracias.

—Dime, oh piadoso —dijo—. ¿Por qué no has pedido tú mismo la mano de la chica? Y no me digas que es demasiado buena para un carpintero. En estos momentos no es buena para nadie.

—Es buena —dije—. Es inocente.

—Y tú, el hijo de María la de Joaquín y Ana, cuéntame. Siempre he querido saberlo. ¿Eres un hombre debajo de esas ropas? ¿Un hombre? ¿Me entiendes?

Me quedé mirándolo y sentí el calor de mi rostro. Me puse a temblar, pero no hasta el extremo de que él se diera cuenta. Conseguí sostenerle la mirada.

—¿Un hombre como los demás hombres? —preguntó—. Entiendes lo que pregunto. Oh, no es porque no te cases. El profeta Jeremías no se casó. Pero si la memoria no me falla, y no me falla nunca, recuerdo haber hablado de eso en este mismo lugar, aunque no en esta casa, en otra, con tu abuelo Joaquín en aquella ocasión. Y caso de que la memoria no me falle desde entonces (y no me falla), el ángel que anunció tu nacimiento a tu temblorosa madrecita no era simplemente un ángel caído de la corte celestial, era nada menos que el arcángel Gabriel.

Silencio. Nos miramos.

—Gabriel —repitió. Alzó ligeramente la barbilla y enarcó las cejas—. El mismísimo arcángel Gabriel. Vino a hablar con tu madre y con nadie más, exceptuando, como todos sabemos, el profeta Daniel.

Sentí que el rostro me ardía, y también el pecho. Podía notar el calor en la palma de las manos.

—Me estás exprimiendo como a un grano de uva, señor —dije—, entre el pulgar y el índice.

«Y sé que cuando me presionan de esa manera puedo decir cosas extrañas, cosas en las que nunca pienso en mi trabajo diario, cosas que no pienso ni siquiera cuando estoy solo, ni cuando sueño.»

—Así es —dijo—. Porque te desprecio.

—Eso parece, señor.

—¿Y por qué no te levantas de un salto para irte?

—Me quedo porque estoy pidiendo un favor.

Rio con satisfacción. Curvó sus dedos bajo su barbilla y miró alrededor, pero no a los libros amontonados, ni a las celosías con sus juegos de luz y verdor, ni a las manchas de luz en el suelo de mármol, ni al delgado hilo de humo que salía del brasero de bronce.

¿Qué iba a exigir como rescate por Abigail?

—Bueno, está claro que quieres a esa niña, ¿no es así? —preguntó—. O que eres bobo, como dice la gente, aunque sólo alguna gente, he de precisar.

—¿Qué hemos de hacer para ayudarla?

—¿No quieres saber por qué te desprecio? —me preguntó.

—¿Es tu deseo hacérmelo saber?

—Sé todo lo que se cuenta de ti.

—Así parece.

—Sobre los extraños sucesos que rodearon tu nacimiento, y cómo tu familia huyó a Egipto debido a la miserable matanza de niños en Belén que llevó a cabo aquel loco que se llamaba a sí mismo nuestro rey; y las cosas que eres capaz de hacer.

—¿Las cosas que puedo hacer? Yo coloqué este suelo de mármol —dije—. Soy carpintero. Es la clase de cosas que puedo hacer.

—Precisamente. Y por eso te desprecio. ¡Y lo mismo haría cualquiera que tuviera una memoria como la mía! —Alzó el dedo como si estuviera enseñando una lección a un niño—. El nacimiento de Sansón fue anunciado no por el arcángel Gabriel, pero sí por otro ángel. Y Sansón era un hombre. Y conocemos sus grandes hazañas, y las transmitimos de generación en generación. ¿Dónde están tus hazañas? ¿Dónde los enemigos derrotados por ti, abatidos en el campo de batalla? ¿Dónde las ruinas de los templos paganos que has derribado con la fuerza de tu brazo?

Un calor ardiente me abrasaba por dentro. Tuve que ponerme en pie, y volqué mi taburete sin intención. Quedé ante él, pero no le veía ni veía la habitación en que estábamos.

Fue como si recordara algo, algo olvidado durante toda mi vida. Pero no era un recuerdo, sino algo completamente distinto.

«Templos paganos, dónde están tus templos paganos.» Vi templos y los vi caer, aunque no en un lugar ni tiempo determinado, y los oí caer, derrumbarse entre nubes de polvo que se alzaban del suelo, como un cielo revuelto en una tempestad, un cielo que permanecía siempre igual; y aquel temblor, aquella rotura, aquella ruina que se derrumbaba con un estruendo ensordecedor, era como el movimiento incesante y siempre cambiante del mar.

Cerré los ojos. Los recuerdos amenazaban la pureza de aquella visión interior. Recuerdos de mi infancia en Alejandría, de las procesiones romanas que se dirigían hacia sus santuarios entre nubes de pétalos de rosas que revoloteaban por el aire y el pesado redoble de los tambores, y el temblor de los sistros. Oí los cantos de las mujeres, y vi un dios dorado que avanzaba colocado sobre unas andas oscilantes; y luego retornó la visión, barriendo con su poderoso impulso los recuerdos, la visión tan inmensa y difusa que agitaba el mundo entero como si las montañas que rodeaban el gran mar temblaran y vomitaran fuego, y los altares cayeran. Los altares caían al suelo y se hacían pedazos.

Todo se disolvió. Volví a ver la habitación.

Miré al anciano. Parecía hecho de piel y huesos. No

había sustancia en él. Parecía frágil como un lirio arrimado al brasero, marchito, agostado.

Percibí de forma penetrante su desamparo, sus años de soledad doliente por lo que había perdido, el miedo a que se le debilitara la vista, el pulso, la razón, a que se le debilitara la esperanza.

Algo realmente insoportable.

Llegó a mis oídos un canturreo procedente de todas las habitaciones de la casa, un canturreo de más allá, de todas las habitaciones de todas las casas: de los frágiles, los enfermos, los cansados, los sufrientes, los amargados.

«Insoportable. Pero yo puedo soportarlo. Yo lo soportaré.»

Había estado mirándolo mucho rato, pero sólo en ese momento comprendí cuán sumido en la tristeza estaba. Me estaba implorando en silencio.

—Acércate —me rogó.

Di un paso hacia él, luego otro. Le vi tantear buscando mi mano, y se la tendí. Qué sedosa su mano, qué fina la piel de la palma. Él me miró.

—Cuando tenías doce años —dijo—, cuando fuiste al Templo para ser presentado a Israel, yo estaba allí. Fui uno de los escribas que os examinaron a ti y a los niños que iban contigo. ¿Me recuerdas de aquella ocasión?

No contesté.

—Os preguntamos a todos sobre el Libro de Samuel, ¿recuerdas eso en particular? —Utilizaba las palabras con habilidad y cuidadosamente. Su mano no soltaba la mía—. Hablábamos de la historia del rey Saúl, después de que fue ungido para ser rey por el profeta Samuel, pero antes de que nadie supiera que sería el rey.

Se detuvo, y se humedeció los labios secos. Sus ojos no se apartaban de los míos.

—Saúl encontró en el camino a un grupo de profetas, ¿recuerdas?, y el Espíritu vino sobre Saúl y Saúl cayó en trance en medio de los profetas. Y uno de los que miraban, al ver aquel espectáculo, preguntó: «¿Y quién es su padre?»

No dije nada.

—Os preguntamos a vosotros, niños, preguntamos a todos qué pensabais de esa historia, y qué creíais que quiso decir el hombre que preguntó sobre Saúl: «¿Y quién es su padre?» Los demás chicos dijeron rápidamente que los profetas tenían que proceder de familias de profetas, y no era el caso de Saúl, de modo que era natural hacer aquella pregunta.

Seguí en silencio.

—Tu respuesta fue distinta de la de los demás chicos. ¿Recuerdas? Dijiste que esa pregunta era un insulto. Un insulto que venía de quienes nunca habían conocido el éxtasis ni el poder del Espíritu, y envidiaban a quienes sí lo conocían. El hombre que se había burlado dijo: «¿Quién eres tú, Saúl, y con qué derecho te colocas junto a los profetas?»

Me estudió con atención, mientras seguía apretando mi mano con fuerza.

—¿Lo recuerdas?

—Sí —dije.

—Dijiste: «Los hombres se burlan de lo que no pueden entender. Pero sufren por lo mucho que lo ansían.»

No respondí.

Sacó la mano izquierda de debajo de las mantas y retuvo la mía entre las dos suyas.

—¿Por qué no te quedaste con nosotros en el Templo? —preguntó—. Te rogamos que lo hicieras. —Suspiró—. Piensa adónde podrías haber llegado si te hubieras quedado en el Templo a estudiar; ¡piensa en el niño que fuiste! Si hubieras dedicado tu vida a lo que está escrito, piensa en las cosas que habrías podido hacer. Yo estaba entusiasmado contigo, todos nosotros, el viejo Berejaiah y Sherebiah de Nazaret, cuánto te querían y cómo deseaban que te quedaras. ¡Y mira en qué te has quedado! Un carpintero, uno más de una cuadrilla de carpinteros. Hombres que hacen suelos, paredes, bancos y mesas.

Muy despacio intenté retirar mi mano, pero él se resistió a soltarla. Me coloqué un poco más a su izquierda y la luz iluminó aún más su rostro vuelto hacia arriba.

—El mundo te ha devorado —dijo con amargura—. Te fuiste del Templo, y el mundo sencillamente te ha devorado. Así actúa el mundo. Todo lo devora. Una mujer angelical no es más que una burla masculina más. La hierba crece sobre las ruinas de los pueblos hasta que no queda rastro de ellos y los árboles crecen sobre las mismas piedras donde en tiempos se alzaron grandes mansiones, mansiones como ésta. Todos estos libros se están desintegrando, ¿no es así? Mira, mira cuántos fragmentos de pergamino entre mis ropas. El mundo devora la Palabra de Dios. ¡Tenías que haberte quedado y estudiado la Torá! ¿Qué diría tu abuelo Joaquín de haber sabido en qué ibas a convertirte?

Se reclinó en su asiento. Soltó mi mano y sonrió con sarcasmo. Levantó la mirada hacia mí, sus cejas grises fruncidas. Me hizo un gesto de despedida.

No me moví.

—¿Por qué devora el mundo la Palabra de Dios? —pregunté—. ¿Por qué? ¿No somos el pueblo elegido, no somos la luz que brilla para iluminar a las naciones? ¿No es nuestra misión llevar la salvación al mundo entero?

—¡Eso es lo que somos! —dijo—. Nuestro Templo es el templo mayor del Imperio. ¿Quién lo ignora?

—Nuestro Templo es uno más entre mil templos, señor.

De nuevo apareció aquel relámpago, parecido a la memoria, a una memoria enterrada de algún acontecimiento terrible, pero que no era memoria.

—Mil templos dispersos por todo el mundo —añadí—, y cada día se ofrecen sacrificios a mil dioses, de un extremo del Imperio al otro.

Él me miró ceñudo. Proseguí:

—Eso sucede a nuestro alrededor, en la tierra de Israel. Y sucede en Tiro, en Sidón, en Ascalón; sucede en Cesarea de Filipo; sucede en Tiberíades. Y en Antioquía y en Corinto y en Roma y en los bosques del gran norte y en las selvas de Britania. —Hice una pausa para respirar—. ¿Somos la luz de las naciones, señor?

—¡Qué nos importa todo eso!

—¿Qué nos importa? Egipto, Italia, Grecia, Germania, Asia, ¿no nos importan? Es el mundo, señor. ¡Es nuestro mundo, el mundo que hemos de iluminar nosotros, nuestro pueblo!

—¿De qué estás hablando? —replicó en tono ofendido.

—Es donde vivo yo, señor —dije—. No en el Templo, sino en el mundo. Y en el mundo he aprendido lo que el mundo es y lo que el mundo enseña, y yo soy del mundo. El mundo es de madera, piedra y hierro, y yo trabajo en él. No, en el Templo no; en el mundo. Y cuando llegue para mí el tiempo de hacer lo que el Señor me ha encomendado en este mundo, en este mundo que le pertenece a Él, este mundo de madera y piedra y hierro y hierba y aire, Él me lo revelará. Y lo que este carpintero deba construir en este mundo ese día, lo sabe el Señor y el Señor lo revelará.

Se había quedado sin habla.

Me alejé un paso de él. Di media vuelta y miré al frente. Vi el polvo que bailaba en los rayos de la luz del sol de mediodía. La luz que centelleaba en las celosías sobre estantes y estantes de libros. Creí ver imágenes en aquel polvo luminoso, cosas que se movían con un propósito, cosas aéreas e inmensas, pero sumisas y pacientes en su movimiento.

Me pareció que la habitación se había llenado de otros seres, del latido de sus corazones, pero eran corazones invisibles, o ni siquiera corazones. No corazones como mi corazón o el suyo, de carne y sangre.

Las hojas susurraban en las ventanas y una sombra fría se arrastró por el suelo iluminado. Me sentí lejos y al mismo tiempo allí, bajo aquel techo, de pie delante de aquel anciano, dándole la espalda, y yo flotaba, aunque estaba anclado y me alegraba de estarlo.

La ira se había desvanecido en mí.

Me volví y le miré.

Estaba tranquilo y pensativo, arrebujado en sus mantas. Me miraba como si estuviera muy lejos, a una distancia segura.

—Todos estos años —murmuró—, cuando te he visto camino de Jerusalén, me he preguntado: «¿Qué piensa? ¿Qué sabe?»

—¿Tienes ya una respuesta?

—Tengo una esperanza —susurró.

Pensé en ello, y asentí lentamente.

—Escribiré la carta esta tarde —dijo—. Tengo aquí un estudiante que la redactará al dictado. La carta llegará a mis primas de Séforis esta noche. Son viudas y cariñosas. La acogerán.

Me incliné y le mostré los dedos juntos en señal de agradecimiento y respeto. Me puse en marcha.

—Vuelve dentro de tres días —dijo—. Tendré una respuesta de ellas o de alguna otra persona. Me encargaré del asunto. Y te acompañaré a ver a Shemayah. Y si ves a la chica en persona, dile que toda su familia, todos nosotros, estamos pendientes de ella.

—Gracias, señor.

Recorrí aprisa el camino a Séforis.

Quería estar junto a mis hermanos. Quería trabajar. Quería colocar piedras una tras otra, y verter la lechada y alisar los tableros y martillar los clavos. Quería hacer cualquier cosa que no fuera estar con un hombre de lengua hábil.

Pero ¿qué me había dicho que no me hubieran dicho ya de otra manera mis propios hermanos, que no me hubiera dicho Jasón? Claro, había hecho ostentación de sus privilegios y riquezas, y del poder arrogante que iba a utilizar para ayudar a Abigail. Pero ellos me hacían las mismas preguntas. Todos decían las mismas cosas.

Yo no quería volver a pensar sobre aquello. No quería volver sobre lo que él me había dicho, ni sobre lo que había visto y sentido. Y muy en particular, no quería dar más vueltas a lo que le había dicho a él.

Pero cuando llegué a la ciudad, con todo su vocerío ensordecedor, su martilleo, sus chirridos, su parloteo, me vino a la mente un pensamiento.

Era un pensamiento nuevo, adecuado a la conversación que había mantenido.

Yo había estado buscando todo el tiempo señales de la llegada de las lluvias, ¿no era así? Había estado mirando el cielo y los árboles lejanos, y sentido el viento, el escalofrío del viento, esperando recibir un roce húmedo en mi rostro.

Pero tal vez estaba buscando señales de algo muy distinto. Algo que en efecto se aproximaba. Tenía que ser así. Aquí, a mi alrededor, estaban las señales de su proximidad. Era un crecimiento, una presión, una sucesión de señales de algo inevitable —algo parecido a la lluvia por la que habíamos rezado, pero mucho más vasto y situado más allá de la lluvia—, y ese algo se apoderaría de décadas de mi vida, sí, de años contados en fiestas y lunas nuevas, y también en horas y minutos —incluso en cada uno de los segundos que me quedaban por vivir—, y los utilizaría.

12

La mañana siguiente, la vieja Bruria y tía Esther intentaron dejar un recado a Abigail, pero no obtuvieron respuesta.

Cuando volvimos de la ciudad la noche anterior, Ana la Muda había venido a visitarnos. Fue a sentarse, desolada, pequeña y temblorosa, al lado de José, que posaba su mano sobre la cabeza inclinada de ella. Parecía una vieja consumida bajo su manto de lana.

—¿Qué le pasa ahora? —preguntó Santiago.

—Dice que Abigail se está muriendo —dijo mi madre.

—Tráeme agua para lavarme las manos —pedí—. Necesito tinta y pergamino.

Me senté e hice servir como escritorio un tablero colocado sobre mis rodillas. Tomé la pluma, y me di cuenta de lo difícil que me resultaba. Había pasado mucho tiempo desde la última vez que escribí algo, y los callos de mis dedos eran gruesos, y mi mano, torpe e insegura.

Insegura. Ah, qué descubrimiento.

Mojé la pluma y garabateé las palabras sencillamente y con prisa, en la letra más pequeña que pude. «Come y bebe ahora, porque yo te pido que lo hagas. Levántate y bebe toda el agua que puedas, porque yo te lo pido. Come tanto como puedas. Estoy haciendo todo lo posible para protegerte, tú haz eso por mí y por los que te quieren. Personas que te quieren han enviado cartas a otras personas que también te quieren. Muy pronto estarás fuera de aquí. No digas nada a tu padre. Haz como te digo.»

Le di el pergamino a Ana la Muda. Hice gestos mientras hablaba.

—De mi parte para Abigail. De mí. Dáselo a ella.

Negó con la cabeza. Estaba aterrorizada.

Hice el gesto ominoso de un Shemayah enfurecido. Luego señalé mis ojos. Dije:

—No podrá leerlo. ¿Ves? La letra es demasiado pequeña. Dáselo a Abigail.

Se puso en pie y salió a la carrera.

Pasaron las horas. Ana la Muda no volvía.

Pero unos gritos en la calle nos sacaron de nuestra duermevela. Corrimos y supimos la noticia que las hogueras de señales acababan de comunicar: paz en Cesarea.

Poncio Pilatos había dado la orden a Jerusalén de retirar los estandartes ofensivos de la Ciudad Santa.

Muy pronto la calle se iluminó como en la noche en que la gente se puso en marcha. Todos bebían, bailaban y se estrechaban las manos. Pero nadie conocía aún los detalles, y nadie esperaba a conocerlos. Las hogueras habían transmitido la noticia de que los hombres regresaban a sus casas en todo el país.

No había señales de vida en la casa de Shemayah, ni siquiera el resplandor de una lámpara debajo de la puerta o en la rendija de alguna ventana.

Mis tías aprovecharon la excusa del motivo festivo para llamar a la puerta. En vano.

—Ruego por que Ana la Muda duerma al lado de ella —dijo mi madre.

El rabino nos llamó a la sinagoga para dar gracias por la paz.

Pero nadie estuvo del todo tranquilo hasta la tarde siguiente, cuando Jasón y varios de sus compañeros, que habían alquilado monturas para el viaje, llegaron a Nazaret.

Bajamos los bultos, dimos de comer a los animales y fuimos a la sinagoga a rezar y escuchar el relato de lo que había ocurrido.

Como en la ocasión anterior, la multitud no cabía en el edificio. La gente encendía antorchas y luminarias en las calles. Algunos llevaban sus propias lámparas, con una mano como pantalla para proteger la llama temblorosa. El cielo se oscurecía rápidamente.

Vi a Jasón, que hablaba con su tío muy excitado, gesticulando. Pero todos le rogaron que parara y esperara a contar lo sucedido a todo el pueblo.

Finalmente, los bancos fueron arrastrados fuera de la sinagoga para colocarlos en la ladera, y muy pronto unos mil quinientos hombres y mujeres se habían instalado al aire libre, y una antorcha encendía la otra mientras Jasón y sus compañeros se abrían paso hasta el lugar de honor.

No vi a Ana la Muda en ninguna parte. Por supuesto Shemayah no estaba, y tampoco Abigail. Pero en aquel momento era difícil encontrar a nadie.

La gente se abrazaba y daba palmas, se besaba, bailaba. Los niños vivían un paroxismo de alegría. Y Santiago lloraba. Mis hermanos habían traído a José y Alfeo, caminando muy despacio. Algunos otros ancianos también se retrasaban.

Jasón esperó. Estaba de pie en el banco, abrazado a un compañero, y sólo entonces, cuando las antorchas se encendieron y los iluminaron con toda claridad, me di cuenta de que el compañero era el nieto de Hananel, Rubén.

Mi madre lo reconoció en el mismo instante, y la noticia corrió en un susurro entre nosotros, que nos habíamos sentado muy apiñados.

Yo no les había contado lo que me dijo Hananel. Ni siquiera había preguntado al rabino por qué no me avisó de que el nieto de Hananel había pretendido en tiempos a Abigail.

Pero todos sabían que el abuelo había llorado durante dos años al nieto que se había marchado a tierras lejanas, y pronto en todas partes se murmuraba el nombre de «Rubén bar Daniel bar Hananel».

Era un joven elegante, bien vestido con ropajes de lino como Jasón, con la misma barba recortada y cabellos perfumados con óleos, y aunque los dos estaban sucios de polvo después de la larga cabalgata, a ninguno parecía importarle.

Finalmente, todo el pueblo les pidió que contaran lo sucedido.

—Seis días —empezó Jasón, y mostró los dedos para que pudiéramos contarlos—. Seis días estuvimos delante del palacio del gobernador, y le exigimos que quitara sus imágenes desvergonzadas y blasfemas de nuestra Ciudad Santa.

Se alzaron muchas exclamaciones de aprobación y entusiasmo.

—«Oh, pero eso sería un insulto a nuestro gran Tiberio», nos dijo ese hombre —continuó Jasón—. Y nosotros a él: «Siempre ha respetado nuestras leyes en el pasado.» Y entended que día a día nos mantuvimos firmes, mientras más y más hombres y mujeres llegaban a engrosar nuestras filas. ¡Cesarea estaba desbordada! Del palacio del gobernador entraban y salían las personas que presentaban nuestras peticiones, y tan pronto como eran despedidos volvían y las presentaban de nuevo, hasta que por fin ese hombre se hartó.

»Y todo el rato iban llegando más soldados, soldados que montaban guardia en cada puerta y a lo largo de los muros que rodeaban el lugar, delante de la sede del tribunal.

La multitud emitió un fuerte rugido, pero Jasón pidió silencio con un gesto y continuó:

—Por fin, sentado delante de la gran multitud reunida, declaró que las imágenes no serían retiradas. ¡Y dio la señal para que los soldados empuñaran sus armas contra nosotros! Salieron a relucir las espadas. Las dagas se alzaron. Nos vimos enteramente rodeados por sus hombres, y nos preparamos para la muerte... —Se detuvo.

Y cuando el público empezó a murmurar y gritar, y finalmente a rugir, de nuevo reclamó silencio con un gesto y concluyó su relato:

—¿Acaso no recordábamos el consejo que nos habían dado nuestros ancianos? ¿Necesitábamos que nos dijeran que somos un pueblo pacífico? ¿Necesitábamos que nos advirtieran que los soldados romanos muy pronto tendrían nuestras vidas a su merced, no importa cuántos nos manifestáramos?

Los gritos llegaron de todos los rincones.

—Nos dejamos caer al suelo —prosiguió Jasón—. ¡Al suelo, e inclinamos las cabezas y ofrecimos nuestros cuellos a sus espadas, todos nosotros! Cientos de personas hicimos lo mismo, os digo. Miles. Ofrecimos nuestros cuellos todos a la vez, sin temor y en silencio, y quienes habían subido a hablar con el gobernador dijeron que él ya lo sabía. Moriríamos sin contemplaciones, ¡todos nosotros, arrodillados allí, delante de un solo hombre!, antes que ver nuestras leyes quebrantadas, nuestras costumbres abolidas.

Jasón se cruzó de brazos y paseó su mirada de derecha a izquierda, mientras los gritos crecían e iban convirtiéndose en un gran himno de júbilo. Señalando y sonriente, saludó a los niños pequeños que gritaban delante del banco. Y Rubén estaba en pie a su lado, tan desbordante de felicidad como él mismo.

Mi tío Cleofás lloraba, y también Santiago. Todos los hombres lloraban.

—¿Y qué hizo el gran gobernador romano ante ese espectáculo? —exclamó Jasón—. Ante la visión de tantas personas dispuestas a dar la vida para proteger nuestras leyes más sagradas, ese hombre se puso en pie y ordenó a sus soldados que apartaran las armas dirigidas contra nuestras gargantas, los aceros que relucían al sol delante de él. «¡No han de morir!», declaró. «¡No, por piedad! No derramaré su sangre, ¡ni una gota siquiera! Dad la señal. ¡Los soldados retirarán nuestros estandartes de los muros de su ciudad santa!»

El aire se llenó de gritos de acción de gracias, jaculatorias y aclamaciones. La gente caía de rodillas sobre la hierba. El alboroto era tan grande que no habría sido posible escuchar a Jasón o Rubén de haber querido decir algo más.

Los puños se alzaron en el aire, la gente bailaba de nuevo y las mujeres gimoteaban, como si sólo ahora pudieran arrodillarse en la hierba para expulsar el miedo que había anidado en sus corazones, abrazadas las unas a las otras.

El rabino, de pie en la tribuna junto a Jasón, inclinó la cabeza y empezó a recitar las oraciones, pero no podíamos oírle. La gente cantaba salmos de acción de gracias. Fragmentos de melodías y rezos flotaban en el aire y se mezclaban a nuestro alrededor.

María la Menor sollozaba en brazos de mi tío Cleofás, su padrastro, y Santiago estaba abrazado a su esposa y la besaba en la frente mientras las lágrimas bañaban su rostro. Yo me llevé conmigo a Isaac el Menor, Yaqim y todos los niños de Abigail, que ahora estaban con nosotros, lo que me dio la certeza de que Ana la Muda y Abigail no habían venido a la asamblea, no, ni siquiera para un acontecimiento así.

Todos intercambiábamos besos. Las botas de vino circulaban. Algunos se lanzaban a largos discursos acerca de lo que parecía que iba a ser aquello y cómo había resultado al final, y Jasón y Rubén se abrían paso entre la muchedumbre que les paraba a cada momento para pedirles más detalles, a pesar de que los dos parecían completamente agotados y en trance de caer al suelo si el gentío les daba ocasión para ello.

José tomó mi mano y la de Santiago. Nuestros hermanos y sus esposas formaron un círculo, y los niños pequeños se colocaron en el centro. Mi madre había pasado los brazos por mis hombros y apoyaba la cabeza en mi espalda.

—Señor, no son sacrificios ni ofrendas lo que Tú deseas —recitó José—, sino que nos has dado oídos abiertos a la obediencia. No nos has exigido que quememos víctimas. Por eso digo: «Aquí estoy, tus mandamientos están escritos sobre pergaminos. Cumplir tu voluntad es mi vida, Señor, tu Ley está grabada en mi corazón. Yo he anunciado tus maravillas ante una gran asamblea...»

Nos costó largo rato hacer el camino de vuelta a casa.

La calle estaba llena de gente que celebraba el acontecimiento, y seguían llegando personas que habían alquilado caballerías para el viaje de regreso de Cesarea, y se oían los gritos agudos inconfundibles de los familiares que volvían a reunirse.

De pronto Jasón, con la cara radiante y oliendo a vino, entró a visitarnos. Puso la mano en el hombro de Santiago.

—Tus chicos están bien, de verdad, y han estado con nosotros en todo momento, los dos, Menahim y Shabi, y te digo que todos los de tu casa se han mantenido firmes. De Silas y Leví por supuesto lo esperaba, quién no, pero te digo que el pequeño Shabi y Cleofás el Menor, y todos...

Y siguió hablando mientras besaba a Santiago y luego a mis tíos, así como las manos que alzó José para bendecirle.

Estábamos en la puerta del patio cuando entró a saludarnos Rubén de Caná e intentó despedirse entonces de Jasón, pero Jasón protestó. La bota de vino pasó del uno al otro, y después nos la ofrecieron. Yo la rechacé.

—¿Por qué no te sientes feliz? —me preguntó Jasón.

—Somos felices, todos nos sentimos felices —dije—. Rubén, han pasado muchos años. Entra a refrescarte.

—No; se viene a casa conmigo —dijo Jasón—. Mi tío no quiere oír hablar de que se aloje en otro lugar que no sea nuestra casa. Rubén, ¿qué te ocurre?, no puedes ponerte ahora en marcha hacia Caná.

—Pero tengo que hacerlo, Jasón, tú sabes muy bien que es así —dijo Rubén. Nos miró a todos para despedirse, e hizo una ligera inclinación—. Mi abuelo no me ha visto en dos años —adujo.

José correspondió la inclinación de Rubén. Todos los ancianos hicieron lo mismo.

Jasón se encogió de hombros.

—Entonces mañana no vengas —dijo Jasón— a contarme la historia triste de cómo despertaste y te encontraste... ¡en la gran ciudad de Caná!

Los jóvenes que les rodeaban se echaron a reír.

Rubén pareció desvanecerse en las sombras, entre las voces alegres y el tumulto de quienes querían palmear el hombro de Jasón y estrecharle la mano, y todos los que forcejeaban para entrar o salir de la casa.

Finalmente, después de habernos despedido más de cincuenta veces, entramos en la casa.

La vieja Bruria se nos había anticipado para encender el hogar, y nos recibió el fuerte y apetecible aroma del potaje que estaba guisando.

Mientras ayudaba a José a ocupar su lugar habitual, junto a la pared, vi a Ana la Muda. En medio de todas las idas y venidas, estaba inmóvil y me miraba fijamente, como si nadie más pasara delante de ella. Parecía cansada y vieja, realmente vieja, una anciana, tan delgada y encorvada y con los puños apretados para sujetar su velo como si fuera un cabo lanzado al mar. Negó con la cabeza. Fue un gesto lento y desesperado.

—¿Le diste el mensaje? —le pregunté—. ¿Lo leyó?

Su rostro no tenía expresión. Hizo un gesto con la mano derecha, una y otra vez, como si arañara el aire.

—Dio la carta a Abigail —dijo mi madre—, pero no sabe si la ha leído.

—Ve ahora a su casa —dijo la vieja Bruria—. ¡Tú, Cleofás, ve! Ve y lleva contigo a tu hijastra. Ve y llama a su puerta. Dile que has ido a darle las noticias.

—Todos los que pasaban han llamado —dijo Santiago—. Jasón estaba golpeando la puerta hace un momento, cuando hemos entrado. Ya basta por hoy. Puede que al viejo loco se le ocurra salir a pasear por voluntad propia. El alboroto le tendrá despierto toda la noche, en cualquier caso.

—De todos modos, podríamos llamar a su puerta, ¿sabes? —insistió Cleofás—. Todos nosotros, bailando y bebiendo, podríamos sencillamente llamar a su puerta, y luego, claro está, le diríamos que lo sentimos, pero que es... —No terminó la frase. A nadie le apetecía hacer una cosa así.

—Esta noche no es el momento de contárselo a Jasón —dijo Santiago—. Pero podremos ir con él mañana, y llamar a la puerta si es necesario hacerlo.

Todos estuvimos de acuerdo. Y sabíamos que su tío, el rabino, sin duda se lo contaría todo.

13

No fuimos a trabajar al día siguiente. Era una fiesta, una celebración en acción de gracias al Señor por la decisión del gobernador, y quienes tenían ganas de beber lo hicieron, pero la mayoría de la gente iba de casa en casa para hablar sobre el gran acontecimiento, que para algunos era un triunfo del pueblo, para otros la humillación del gobernador, y para los más ancianos sencillamente la voluntad de Dios.

Santiago, como no podía quedarse quieto, barrió los establos y el patio dos veces, y yo, incapaz de quedarme quieto si Santiago no se estaba quieto, fui a traer agua y dar de comer a los burros, me dediqué a arrancar las malas hierbas del huerto, y volví pensando que era preferible no decir nada de la cosecha que la sequía estaba echando a perder. Miré el cielo sereno y decidí ir a Caná.

Desde luego, no era un día para apremiar a Hananel ni para hacer gestiones en favor de nadie. Su amado nieto había vuelto a casa, y sin duda querría que le dejaran disfrutar de la ocasión y dar las gracias a Dios por ello.

Pero yo no podía esperar. Hiciera lo que hiciera, fuera a donde fuera, no veía otra cosa que a Abigail en su cuarto oscuro. Veía a Abigail tendida en el suelo, y a veces también sus ojos apagados.

La población de Caná, mucho más pequeña que Nazaret, parecía también llena de celebraciones bulliciosas, y yo pasé desapercibido entre corros de hombres que bebían y charlaban, e incluso de familias reunidas para almorzar sobre la hierba reseca y bajo los árboles. El viento no resultaba molesto, y de todas formas la gente parecía haber olvidado la sequía; habían logrado una gran victoria contra algo que temían aún más.

La casa de Hananel estaba llena de agitación. Se hacían preparativos para una fiesta. Pasaban hombres cargados con cestos de fruta. Olía a cordero asado.

Crucé la puerta y encontré al viejo esclavo que me había recibido la vez anterior.

—Escucha —le dije—, no quiero molestar a tu amo en un día así, pero tienes que darle un recado de mi parte, te lo ruego.

—Con mucho gusto lo haré, Yeshua. Ven, entra. El amo está radiante de alegría. Rubén ha vuelto a casa sano y salvo, esta misma mañana.

—Di a tu amo solamente que he venido, y que le deseo toda clase de felicidad. Y dile que espero una palabra suya sobre el asunto del que hablamos. ¿Lo harás por mí? Díselo, es todo lo que te pido. Recuérdaselo cuando puedas.

Salí de la casa antes de que el esclavo pudiera protestar, y no había recorrido aún la mitad del camino a Nazaret cuando me encontré a Jasón. Venía a caballo, algo poco habitual, tal vez la montura que había alquilado para el viaje desde Cesarea. De inmediato desmontó y se acercó a mí.

Y sin más me dijo:

—Ese hombre está loco. Cómo puede hacer algo así a

su propia hija, encerrarla y dejarla morir de hambre. Sólo por pensar en una cosa así merece la muerte.

—Lo sé —dije. Y le conté sucintamente que Hananel de Caná había escrito a los familiares de Abigail de distintos lugares—. Y ahora estamos esperando la respuesta.

—¿Adónde vas? —me preguntó.

—A casa —dije—. No puedo importunar a ese hombre en el día del regreso de su nieto. He dejado un mensaje. Es todo lo que podía hacer.

—Bueno, yo me dirijo a comer con ellos —dijo Jasón—. El viejo en persona mandó a buscarme. Procuraré que lo recuerde. Le diré algo si veo que está cegado por el regreso del nieto.

—Jasón, sé prudente. Ha enviado cartas en su favor. No llegues como una tormenta a su casa exigiéndole nada. Alégrate de que te haya invitado a una fiesta bajo su techo.

Jasón asintió y dijo:

—Bien, quiero que me lo cuentes todo, lo que hicieron aquellos bandidos a Abigail. La arrastraron por el suelo boca abajo, según me ha contado mi tío...

—¿Qué importa ahora? —repuse—. No puedo hacerlo ahora, revivirlo todo. Sigue tu camino. Ven a verme mañana y te contaré lo que quieras saber.

A última hora de la tarde llegaron a casa Menahim y Shabi, y casi todos los jóvenes que se habían ido con ellos. La casa se llenó de discusiones y reproches. Tío Cleofás estaba furioso con sus hijos José, Judas y Simón. Ellos aguantaron el chaparrón en silencio, pero sus miradas y sonrisas furtivas decían a las claras que se sentían partícipes de una hazaña espléndida.

Santiago habría azotado a Shabi, pero su mujer Mara le detuvo.

Yo desaparecí.

Fuera de la casa de Shemayah, Isaac el Menor y Yaqim miraban ceñudos la puerta que no se abría. Ana la Muda subía la cuesta desde el mercado con una pequeña cesta llena de fruta y pan. Me miró como si no me conociera. Llamó de una forma que era sin duda una señal, y la puerta se abrió. Pude ver la cara severa de la vieja criada antes de que la puerta se cerrara de nuevo de un portazo.

Subí la calle y bajé luego la colina hasta el arroyo. Era ahora tan poca el agua que fluía desde los aljibes que el lecho del arroyo estaba gris de polvo, como todo lo demás. El sol arrancaba aquí y allá chispazos súbitos de los lugares donde el agua corría aún, profunda, secreta y lenta.

Fui hasta el aljibe, y me lavé despacio las manos y la cara.

Luego subí a la arboleda.

Estuve un rato arrodillado y rogué al Señor por Abigail. Me di cuenta de que estaba llorando, y sólo poco a poco se me ocurrió que llorar en ese lugar era perfectamente adecuado. Nadie podía verme, a excepción del Señor. Así que finalmente lloré sin trabas de ninguna clase. «Padre que estás en los Cielos, ¿cómo ha podido ocurrir esto? ¿Cómo es que esa muchacha sufre siendo inocente, y cómo ha podido mi torpeza empeorar aún más las cosas?»

Por fin cayó sobre mí el agotamiento, un agotamiento casi dulce porque expulsaba de mi interior la ansiedad, y me dejé caer sobre el blando lecho de hojarasca.

Doblé el brazo debajo de mi cabeza como almohada y me dejé ir sin esfuerzo hacia el sueño.

No fue un sueño profundo. Fue una especie de amable mezcolanza de los suaves sonidos que me rodeaban, el crujido de las hojas recién caídas y el susurro de las que el aire agitaba sobre mi cabeza. Pronto ya no pude oír mi propio corazón. Acariciaban mi olfato dulces fragancias. Medio en sueños me maravillé de que, en medio de una terrible sequía como la que padecíamos, cosas minúsculas, cosas fragantes, siguieran brotando al sol y a la sombra, y de tenerlas a mi lado.

¿Pasó una hora? ¿O fue más tiempo?

Sentí un hormigueo, el hormigueo del hombre que tiene que ponerse en pie para estar de vuelta en casa antes de que oscurezca. Pero en realidad no llegué a ser consciente de él.

Me di la vuelta. Una pequeña colección de sonidos me había despertado, algo que no era habitual en ese lugar, ¿o era el aroma? Un perfume suave y delicioso.

Un perfume caro.

No abrí aún los ojos; no quería sacudir del todo la red de sueño que me envolvía, porque temía que el sueño no volviera. Y qué hermoso era flotar sencillamente allí, intentar definir aquel aroma penetrante, y luego rememorar, en algún rincón escondido de mi mente, dónde había captado antes aquel olor incitante... En las bodas, cuando se derramaban las ánforas de nardos al paso de los novios.

Abrí los ojos. Oí el roce de vestidos. Sentí algo suave y pesado sobre mis pies descalzos.

Me volví y me incorporé a toda prisa, aturdido. Un manto oscuro había caído sobre mis pies, y sobre él un velo negro. Lana fina, lana cara. Intenté sacudirme el sopor. ¿Quién estaba aquí conmigo, y por qué?

Alcé la mirada, frotándome los ojos para alejar el sueño, y vi a una mujer de pie ante mí, una mujer recortada contra el centelleo del sol entre las copas de los árboles.

Su exuberante cabello estaba suelto. Relucía el oro de la orla de su túnica, en su garganta y en el ruedo de la falda; un brocado de oro, ancho y rico. Y de su cabello y de sus vestidos emanaba aquel perfume irresistible.

Abigail. Abigail vestida de boda. Abigail, con la cabellera suelta y flotante, resplandeciente a la luz. Lentamente la luz definió la larga curva suave de su cuello, y sus hombros desnudos bajo el brocado de oro. Su túnica estaba desceñida. Las manos, relucientes de anillos y brazaletes, colgaban a los costados.

Toda aquella belleza resplandecía en la penumbra del bosque como si fuera un tesoro descubierto en secreto, dispuesto para ser revelado sólo en secreto.

Y entonces desaparecieron los últimos vestigios de sueño y tuve plena conciencia de que ella había venido allí conmigo y estábamos los dos solos.

Durante toda mi vida había vivido en habitaciones abarrotadas, y trabajado en talleres abarrotados y en lugares abarrotados, y caminado de un lado a otro en medio de multitudes, y entre mujeres que eran hermana, tía, madre, prima, hijas o esposas de otros, mujeres veladas, mujeres amortajadas, mujeres tapadas hasta el cuello y con las cabezas cubiertas, mujeres envueltas en mantos o adornadas con lazos y nudos entrevistos apenas un instante en las bodas de los pueblos detrás de los velos que las cubren hasta los pies.

Estábamos solos. El hombre en mí sabía que estábamos solos, y el hombre en mí sabía que podía tener a esta mujer. Y todos los incontables sueños, los sueños torturados y las torturadas noches de negación, podían desembocar ahora en la no soñada suavidad de sus brazos.

Rápidamente, me puse en pie. Recogí el manto y el velo de lana que ella había dejado caer, y se los tendí.

—¿Qué estás haciendo? —pregunté—. ¿Qué idea loca se te ha metido en la cabeza? —Coloqué el manto sobre sus hombros y cubrí su cabeza con el velo oscuro. Abroché su túnica—. Estás fuera de ti misma. Tú no deseas hacer esto. Vamos, te llevaré a tu casa.

—No —dijo ella, y me apartó de un empujón—. Me iré a las calles de la ciudad de Tiro. Iré a ofrecerme en esas calles. No. No intentes detenerme. Si tú no deseas para ti lo que pronto van a tener muchos hombres que lo soliciten, me iré.

Se volvió, pero yo la retuve por la muñeca.

—Abigail, eso son rabietas de niña —le susurré.

Me miró con ojos fríos y llenos de amargura, pero que, a pesar de su dureza, temblaban.

—Yeshua, déjame marchar —dijo.

—No sabes lo que dices. ¡Las calles de Tiro! Nunca has visto una ciudad como Tiro. Eso es un desvarío infantil. ¿Crees que las calles son un regazo en el que descansar tu cabeza? Abigail, ven a casa conmigo, ven a mi casa, con mi madre y mis hermanas. Abigail, ¿crees que he estado mirando en silencio lo que ocurría, sin hacer nada?

—Sé lo que has hecho —dijo—. Es inútil. Estoy condenada y no voy a quedarme a morir de hambre bajo el techo del hombre que me ha condenado. ¡No lo haré!

—Vas a marcharte de Nazaret.

—Eso es lo que voy a hacer —declaró ella.

—No, no lo entiendes. Tu pariente Hananel de Caná ha escrito cartas, y él...

—Ha venido hoy a mi puerta —dijo con voz velada—. Sí, Hananel y su nieto Rubén, y se han presentado los dos ante mi padre y me han pedido en matrimonio.

Dio un tirón y se soltó de mi mano. Temblaba violentamente.

—¿Y sabes lo que dijo mi padre a esos hombres, a Hananel de Caná y su nieto Rubén? ¡Los ha rechazado!

«Confundís una copa rota, les ha dicho, confundís una copa rota con una olla llena de monedas de oro.» —Aspiró profundamente, sin dejar de temblar. Yo no encontraba palabras—. «Esa copa rota no está incluida en el lote que se ofrece a la venta», dijo. Mi padre dijo eso... «¡No voy a sacar mi vergüenza al mercado para que vosotros la compréis!»

—Ese hombre ha perdido la razón.

—Oh, ha perdido la razón, sí, ¡ha perdido la razón porque su hija Abigail ha sido manoseada, ha sido avergonzada! ¡Y quiere que ella muera para lavar su vergüenza! ¡Se lo dijo a Rubén de Caná! «No tengo ninguna hija para ti. Vete.»

Calló, incapaz de continuar. Estaba tan agitada que no podía articular las palabras. La cogí por los hombros.

—Estás libre de tu padre, entonces.

—Sí, lo estoy —declaró.

—Entonces, ven a casa conmigo. Vivirás bajo mi techo hasta que te saquemos de este lugar y te llevemos con tus parientes de Betania.

—Ah, sí, la casa de Caifás acogerá a la muchachita de pueblo humillada y avergonzada, a la chica negada por su propio padre, por un padre que ha rechazado a todos los hombres que han pedido su mano durante dos años, y ahora ha vuelto a dar un portazo a Jasón otra vez, y a Rubén de Caná, ¡a Rubén, que dejó a un lado su orgullo y se lo pidió de rodillas!

Me apartó de un empujón.

—Abigail, no dejaré que te vayas.

Rompió a llorar. Yo la abracé.

—Yeshua bar Yosef, hazlo —me susurró—. He venido aquí contigo. Tómame. Te lo suplico. No me da vergüenza. Tómame, por favor, Yeshua, soy tuya.

Yo empecé a llorar. No podía parar y era tan malo como antes de que ella apareciera, tan malo quizá como su propio llanto.

—Abigail, escúchame. Te digo que con Dios nada es imposible, y que estarás segura con mi madre y mis tías. Te enviaré con mi hermana Salomé a Cafarnaum. Mis tías te acogerán allí. Abigail, tienes que venir a casa conmigo.

Ella se derrumbó encima de mí, y sus sollozos se hicieron más y más débiles mientras yo la sostenía.

—Dime —dijo por fin con una vocecita tímida—. Yeshua, si fueras a casarte, ¿sería yo tu novia?

—Sí, hermosa muchacha —dije—. Mi dulce y hermosa muchacha.

Me miró y se mordió el labio tembloroso.

—Entonces tómame como tu puta. Por favor. No me importa. —Cerró los ojos anegados en lágrimas—. No me importa, no me importa.

—Calla, no digas una palabra más —repuse con suavidad.

Con el borde del manto le sequé la cara. La aparté de mi pecho y la ayudé a mantenerse erguida. La envolví en su velo, y sujeté la punta en su hombro. Abroché su manto para que nadie pudiera ver la túnica recamada en oro que había debajo.

—Te llevo a casa como mi hermana, la más querida para mí —dije—. Vendrás conmigo como he dicho, y estas palabras y estos momentos quedarán encerrados en nuestros corazones.

De pronto se sintió demasiado cansada para responderme.

—¿Abigail? Mírame. Harás lo que he dicho.

Asintió.

—Mírame a los ojos —dije—. Y dime quién eres en

realidad. Eres Abigail, hija de Shemayah, y has sido difamada, maliciosamente difamada. Y vamos a ponerle remedio.

Asintió. Las lágrimas habían desaparecido, pero la rabia la había dejado vacía y desorientada. Por un momento tuve la impresión de que iba a perder el sentido.

La sostuve.

—Abigail, pediré a los ancianos que se reúnan. Pediré al rabino que se forme el tribunal del pueblo.

Me miró desconcertada, y apartó la vista como si esas palabras la confundieran.

—Ese hombre, Shemayah, no tiene poder para juzgar de la vida y la muerte, ni siquiera de su única hija.

—¿El tribunal? —murmuró—. ¿Los ancianos?

—Sí. Será un juicio público. Pediremos un veredicto sobre tu inocencia, y con él irás a Cafarnaum o a Betania o a donde sea preferible para ti.

Me miró, con firmeza por primera vez.

—¿Es posible eso? —preguntó.

—Sí, es posible. Tu padre ha dicho que no tiene ninguna hija. Bueno, pues entonces no tiene autoridad sobre ti, y esa autoridad recae ahora en nosotros, tus parientes, y en los ancianos. ¿Has entendido lo que he dicho?

Hizo seña de que sí.

—Olvida las palabras que has pronunciado aquí; estaban destinadas a mí, al hermano que sabe muy bien que eres una niña inocente y maltratada.

Puse la mano sobre mi corazón.

—Señor, da a mi hermana un corazón nuevo —susurré—. Señor, dale un corazón nuevo.

Permanecí inmóvil con los ojos cerrados, rezando, con la mano izquierda sobre su hombro.

Cuando abrí los ojos, su rostro estaba en calma. Era

otra vez Abigail, la Abigail de antes de que todo aquello empezara.

—Ven, vamos a hacer lo que he dicho —dije.

—No, no hace falta que recurras a los ancianos, no es necesario. Sólo humillarás más a mi padre. Iré a Cafarnaum con Salomé —dijo—. O a Betania, o a donde tú digas.

Ajusté de nuevo su velo. Intenté limpiar de hojas su velo y su manto, pero era imposible. Estaban cubiertos de fragmentos de hojas muertas.

—Perdóname, Yeshua —susurró.

—¿Por qué? ¿Por estar asustada? ¿Por estar sola? ¿Por haber sido maltratada y luego condenada?

—Te amo, hermano —dijo.

Deseé besarla. Deseé tan sólo tenerla junto a mí otra vez con el amor más puro, y besarla en la frente. Pero no lo hice.

—En verdad eres hijo de un ángel —dijo, triste.

—No, mi amada. Soy un hombre. Créeme, lo soy.

Sonrió, y fue una tristísima sonrisa de comprensión.

—Ahora, baja a Nazaret delante de mí, dirígete directamente a mi casa y pregunta por mi madre. Si ves a tu padre da la vuelta y huye de él, y da un rodeo hasta volver de nuevo a nuestra puerta.

Asintió, y se volvió para marchar.

Me quedé esperando, conteniendo la respiración, mientras secaba aprisa mis propias lágrimas e intentaba calmar mis temblores.

Entonces, desde el exterior de la arboleda llegó de pronto a mis oídos un grito de angustia.

14

Corrí a través de la vegetación.

Abigail estaba tan sólo a unos metros de distancia, y frente a ella, en la ladera, aguardaba una multitud silenciosa.

Santiago, Josías, Simón, mi tío Cleofás y docenas de otras personas nos miraban. Shabi y Yaqim empezaron a adelantarse, pero los chicos mayores los sujetaron. Sólo Ana la Muda se soltó y empezó a gesticular y señalar a Abigail mientras corría hacia ella. Santiago nos miró, primero a mí, luego a ella, de nuevo a mí, y con una mueca de dolor inclinó la cabeza.

—No, deteneos, todos vosotros, volved atrás —dije y eché a correr hasta colocarme delante de ella.

Ana la Muda se paró en seco. Se quedó mirándome y luego volvió la vista atrás, a la multitud. Sólo en ese instante pareció darse cuenta de lo que había hecho.

Y lo mismo me ocurrió a mí. Ella había dado la alarma de que Abigail había escapado. Les había guiado hasta aquí, y sólo ahora se daba cuenta de su terrible error.

A mi espalda, Abigail murmuraba una plegaria ahogada.

Llegaban más y más hombres, parecían venir de todas partes, de los campos, del pueblo, de la lejana calzada. Los chicos corrieron hacia nosotros.

Desde el pueblo subía también Jasón a grandes zancadas, con Rubén de Caná a su lado.

Alguien dio un grito llamando al rabino. Todos gritaron llamando al rabino.

Santiago se volvió y gritó a sus hijos que fueran a buscar inmediatamente a José y los ancianos. El nombre de «Shemayah» brotaba de todos los labios, y de pronto Abigail corrió a mi lado y, con un gesto tan fatal como el de Yitra cuando abrazó al Huérfano, se abalanzó sobre mí con los brazos tendidos.

Silbaron piedras en el aire, y una pasó rozando mi oreja. Y con las piedras llegaron gritos de «¡Hipócrita!» y «¡Puta!».

Me volví y protegí con mi cuerpo a Abigail. Santiago se precipitó hacia nosotros y se colocó delante, con el brazo extendido. Mi tía Esther llegó al frente de un grupo de mujeres y también echó a correr para interponerse. Gritó cuando llegó a nuestro lado. Las piedras dejaron de volar.

—¡Shemayah! ¡Shemayah! —clamaba la gente, incluso cuando el grupo se abrió para dejar paso al rabino y a Hananel de Caná, que llegaban acompañados por otros dos ancianos.

El rabino se quedó mirándonos asombrado, y sus ojos registraron cada detalle de la escena. Me adelanté, apartando con suavidad a Santiago de mi camino.

—Yo os digo que no ha ocurrido nada aquí, nada más que palabras, palabras intercambiadas en la arboleda a la que suelo ir, ¡adonde todo el mundo sabe que voy!

—Abigail, ¿acusas a este hombre? —gritó el rabino, el rostro lívido por la emoción.

Ella sacudió la cabeza con violencia. Tragó saliva.

—¡No! —gritó—. No; es inocente. No ha hecho nada.

—Entonces, ¿qué locura es ésta? —gritó el rabino. Se volvió hacia la multitud, cuyo número se había triplicado y había cuellos estirados y preguntas roncas de quienes deseaban ver y saber—. Os digo que acabéis con esto ahora mismo y volváis a vuestras casas.

—¡Volved a casa, todos vosotros! —gritó Jasón—. No hay nada que ver aquí. Marchaos de este lugar. ¡Estáis borrachos todos, con tanta celebración! Marchaos a vuestras casas.

Pero las murmuraciones y las protestas llegaban de todas direcciones: «Solos, juntos en el bosque, Yeshua y Abigail.» Oí palabras sueltas y fragmentos de frases. Vi que José se afanaba tratando de subir la cuesta. Menahim tenía que cargar con él. Más y más mujeres venían hacia nosotros. Sollozos desolados sacudían el cuerpo de Abigail.

—Llevadla a casa ahora mismo, lleváosla —dije. Pero de pronto mi hermano Josías me rodeó con sus brazos por la espalda, y mi hermano José hizo lo mismo.

—¡No! Soltadme —dije.

—Shemayah —dijo Josías, y allí estaba el hombre, subiendo a la carrera la cuesta, abriéndose paso entre la multitud, apartando a empujones a quienes se interponían en su camino.

Al verlo, Abigail se encogió. Mi tía Esther procuró sostenerla, pero ella se dobló sobre sí misma y dio un paso atrás, zafándose de las manos de Esther.

El rabino se interpuso en el camino de Shemayah, que hizo gesto de golpearlo, y sus peones sujetaron su mano alzada. Otros hombres detuvieron a Jasón antes de que pudiera golpear a Shemayah, y otros rodearon a Rubén. Todos forcejeaban, coléricos.

Shemayah se soltó de quienes lo sujetaban. Miró sombrío a su hija y a mí.

Se abalanzó hacia mí.

—¡Beberás de esa copa rota el resto de tu vida, eso harás! —me insultó—. ¡Tú, sucio tramposo, ladrón detestable!

Abigail gimió.

—No; calla, él no ha hecho... ¡no ha hecho nada! —Se irguió y le tendió los brazos—. Padre, él no ha hecho nada.

—¡Yo te maldigo! —me gritó Shemayah. Mis hermanos se colocaron delante para detenerle y me empujaron atrás. Noté los brazos de tía Salomé alrededor de mi cuerpo, y luego los de mis primos Silas y Leví.

—¡Soltadme, basta! —exclamé, pero eran demasiados.

—¿Crees que mi hija es una puta para hacer esas cosas con ella? —gritó Shemayah mientras forcejeaba con los hombres que lo sujetaban, con el rostro bermejo.

Por encima de los brazos que me rodeaban sólo pude ver que se acercaba a Abigail, la aferraba por los hombros y la sacudía con violencia, haciéndole caer su velo al suelo.

Un estentóreo grito de aprobación brotó de la multitud, y al instante todos callaron: el manto oscuro de Abigail se había abierto. Todos pudieron ver la túnica de gasa blanca con la orla de brocado de oro. Shemayah la vio y al punto tiró del manto y lo arrojó a un lado.

La conmoción fue tan grande que la multitud quedó sin habla.

Abigail estaba en pie, horrorizada, incapaz aún de comprender lo que había ocurrido. Luego bajó la mirada y vio lo que estaban viendo los demás: la ligera túnica blanca de boda, con la orla de brocado de oro en el cuello y el ruedo de la falda.

Ana la Muda y Shabi recogieron el manto e intentaron ponérselo de nuevo. Shemayah tumbó a Shabi sobre la hierba con un puñetazo.

Abigail miraba a su padre. Sujetaba el cuello de su túnica, los lazos de oro que habían estado desatados cuando llegó a mí, y entonces, de súbito, lanzó un grito terrible:

—¡¿Una ramera, eso soy?! ¡Una ramera! ¡Vestida con la túnica de boda de mi madre, soy una ramera!

—¡Detenedla, lleváosla! —exclamé—. Rabino, es una niña.

—¡Ramera! —volvió a gritar, y desgarró el cuello de su túnica—. Soy una ramera, sí, tu ramera —sollozó. Se tambaleó y retrocedió de espaldas sin que su padre se lo impidiera, y tampoco los niños.

—¡No! —grité—. Abigail, basta. ¡Rabino, detén esto!

Jasón se soltó e intentó abalanzarse hacia delante, pero fue derribado por los hombres que le rodeaban.

De nuevo llegó el horroroso silbido de piedras arrojadas. Los niños lloraban, horrorizados. Ana la Muda cayó al suelo.

—¡No, parad, en nombre del Cielo! —grité.

Abigail retrocedió otro paso y gritó más fuerte.

—¡Ramera! —dijo. Con las manos crispadas como garras se deshizo el peinado, que cayó en desorden sobre su rostro—. ¡Mirad a esta ramera! —chilló.

El coro de insultos creció hasta convertirse en un estruendo de gritos frenéticos y atronadores. Las piedras caían de todas partes. Luché con todas mis fuerzas por soltarme de mis hermanos, pero ellos me tiraron al suelo y me inmovilizaron. Forcejeando jadeantes, empezaron a alejarme de allí a rastras.

Los chillidos y el llanto de los niños se elevaban entre los insultos y las maldiciones roncas.

—¡Señor Dios de los Cielos, esto no puede ocurrir! —grité—. ¡Detenlo!

«¡Padre, envía la lluvia!»

Un trueno ensordecedor resonó sobre nuestras cabezas.

El cielo se oscureció, y la luz se apagó delante de mis ojos cuando caí de bruces sobre el suelo pedregoso. Volvió a rugir el trueno, inmenso y retumbante. Me puse en pie. Miré las nubes que se agolpaban, cargadas y plúmbeas. El cuchillo de un relámpago me cegó. La multitud gritó, de nuevo con una sola voz. El trueno volvió a restallar y a apagarse en mil ecos.

Vi en la ladera a Abigail todavía de pie, a Abigail rodeada de niños, salvada por los niños: por Isaac y Shabi y Yaqim y Ana la Muda, todos ellos y muchos más abrazados a ella, y otros incluso tendidos a sus pies, con sus caras llorosas que iban de ella a sus padres petrificados, y de sus padres al cielo revuelto. Mi tía Esther se llegó hasta Abigail y le protegió la cabeza con sus brazos. Santiago se levantó del suelo, al soltarle quienes le tenían inmovilizado, y se quedó mirando el cielo con la boca abierta.

—Salvada —murmuré. Aspiré el viento templado y húmedo. «Salvada.» Cerré los ojos y me hinqué de rodillas.

Las compuertas del cielo se abrieron.

La lluvia empezó a caer a cántaros.

15

Era una lluvia tan densa y violenta que trajo con ella el crepúsculo y cerró el mundo a los ojos de los hombres. Santiago y Esther recogieron a Abigail, incapaz de sostenerse en pie, y Santiago la cargó sobre su hombro, para llevarla con más facilidad, y todos corrieron hacia el pueblo o en busca de algún refugio.

Con mis hermanos, me hice cargo de José, lo aupamos a hombros y corrimos colina abajo.

Estábamos empapados hasta los huesos cuando llegamos a nuestra calle, y la calle era un torrente. Apenas había luz para guiarnos entre las sombras, y alrededor oíamos el chapoteo de pasos, exclamaciones de temor y fragmentos de jaculatorias.

Pero conseguimos llegar a nuestro patio, abrir presurosos las puertas de la casa y precipitarnos todos dentro.

Depositamos en el suelo a José con todo miramiento, y su pelo blanco chorreaba, aplastado contra su calva rosada. Lámpara tras lámpara fueron encendidas.

Las mujeres, todas en grupo, se llevaron a Abigail al interior de la casa, y sus sollozos iban despertando ecos en las paredes y las escaleras por las que subieron hasta las habitaciones pequeñas del segundo piso, reservadas a las mujeres.

Los hombres se dejaron caer exhaustos en el suelo.

La vieja Bruria y mi madre trajeron ropa seca para todos, acompañadas por María la Menor y Mara, que habían estado con ellas todo el rato. Se ocuparon de secarnos, llevarse nuestros vestidos mojados y frotarnos el pelo.

Santiago estaba tendido sin resuello, mirando al techo.

Entró el viejo tío Alfeo, asustado y sorprendido. Luego apareció tío Cleofás, chorreando agua y sin aliento. Con él entró el último niño que faltaba. Fue él, ayudado por Menahim, quien atrancó la puerta.

La lluvia repiqueteaba sobre la techumbre. Bajaba por los desagües y los caños hacia las cisternas, el *mikvah* y los numerosos cántaros colocados bajo los canalones alrededor de la casa. Golpeaba los postigos de madera. Chocaba, ráfaga tras ráfaga, contra las puertas, que crujían.

Nadie habló mientras nos secábamos y poníamos la ropa limpia que nos ofrecían. Mi madre cuidaba de José, y le ayudaba a quitarse con cuidado los vestidos empapados. Los chicos soplaban las brasas e iban de un lado a otro excitados, buscando más lámparas que encender en aquella estancia cómoda y resguardada.

De pronto, llamaron a la puerta.

—Si se atreve —dijo Santiago, que se puso en pie y agitó el puño en el aire—, si se atreve a venir aquí, lo mato.

—Calla, basta ya —le ordenó su esposa Mara.

Llamaron de nuevo, discretamente pero con insistencia.

Oímos una voz al otro lado de la puerta.

Fui hasta la entrada, retiré la tranca y abrí.

Eran Rubén, con sus finos vestidos de lino tan empapados como los de cualquiera, y su abuelo, encogido bajo un cobertor de lana; y detrás de ellos, sus caballos y los sirvientes que habían alquilado.

Santiago les dio de inmediato la bienvenida.

Yo acompañé a los sirvientes y los animales al establo. La puerta estaba abierta, de modo que todo estaba mojado en el interior, pero pronto los caballos estuvieron desensillados y con un montón de heno fresco en el suelo. Los hombres me dieron las gracias con gestos. Luego les trajeron vino y empinaron la bota.

Volví a la puerta principal al resguardo del alero del tejado, pero aun así estaba empapado al entrar en la casa.

Otra vez mi madre me recibió con una manta seca y me apoyé en la puerta, respirando pesadamente y jadeando.

Hananel y su nieto, ya con vestidos secos de lana, estaban sentados junto al brasero del suelo, frente a José. Todos tenían tazones de vino. José dio la bendición con voz ahogada, e invitó a beber a los visitantes.

El viejo erudito volvió la vista hacia mí, y luego miró a José. Probó el vino, y dejó el tazón junto a sus piernas cruzadas.

—¿Quién habla por la chica ahora? —preguntó.

—Abuelo, por favor... —dijo Rubén—. Queremos agradeceros a todos vuestra amabilidad, muchas gracias.

—¿Quién habla por ella? —insistió Hananel—. No quiero quedarme en esta aldea miserable ni un minuto más de lo necesario. Para eso he venido, y de eso quiero hablar ahora.

José señaló con un gesto a Santiago.

—Yo hablo por ella —dijo Santiago—. Mi padre y yo hablamos por ella. ¿Qué deseas decirme en relación con ella? Esa chica es nuestra pariente.

—Ah, y nuestra también —dijo Hananel—. ¿Qué te

parece que deseo decir? ¿Por qué crees que me he tomado el esfuerzo de bajar a este estercolero? He venido aquí con una petición de matrimonio para la chica en favor de mi nieto Rubén, que se sienta aquí a mi derecha, y al que conocéis muy bien, como yo os conozco a vosotros. Y hablo ahora de matrimonio entre mi hijo y esa chica. Su mal padre la ha abandonado delante de los ancianos de este lugar y a la vista de todos los presentes, incluidos mi nieto y yo mismo, de modo que si eres tú quien habla ahora por ella, respóndeme por ella.

José se echó a reír.

Nadie más dijo una palabra, ni se movió, ni siquiera respiró más fuerte. Pero José rio y miró el techo. Sus cabellos blancos ya estaban secos, y sus ojos húmedos refulgían al resplandor de las brasas. Rio como si estuviera soñando.

—Ay, Hananel —dijo—. Cuánto te he echado de menos, y ni siquiera lo sabía.

—Sí, y yo también te he echado de menos, José. Y ahora, antes de que lo digáis vosotros, hombres listos, dejadme decirlo a mí: la chica es inocente; era inocente ayer y es inocente hoy. Y es muy joven.

—Amén —dije.

—Pero no es pobre —observó Santiago—. Tiene dinero que viene de su madre, y tendrá un contrato de matrimonio como es debido, refrendado en esta misma habitación antes de estar prometida ni casada con nadie, y será una novia desde que salga por esta puerta hasta su noche de bodas.

Hananel asintió.

—Trae la tinta y el pergamino —dijo—. Ah, escuchad cómo llueve. ¿Qué posibilidades tengo de dormir bajo mi propio techo esta noche?

—Nos sentiremos honrados de que duermas en nuestra casa, señor —dije, y Santiago me respaldó musitando algunas palabras llenas de orgullo.

Todo el mundo insistió en la invitación. Mi madre y la vieja Bruria corrieron a preparar potaje y pan caliente.

Desde algún lugar de la casa, por encima del piso bajo, oí un murmullo de voces femeninas que dominaba incluso el tabaleo constante de la lluvia. Vi volver a Mara, aunque no me había dado cuenta de que se hubiera ido. De modo que Abigail estaba ya enterada de lo que ocurría, mi preciosa y angustiada Abigail.

Tía Esther trajo varias hojas de pergamino, tinta y pluma.

—Escribid, escribid —dijo Hananel en tono alegre—. Escribid que todo lo que corresponde a la herencia de su madre es suyo, de acuerdo con la costumbre pública, privada, escrita y no escrita, y con la tradición inveterada, sólo objetable mediante consenso de las partes, y de acuerdo con la propia declaración de la interesada, no obstante la negativa de su padre. Escribidlo.

—Señor —dijo mi madre—. Esto es todo lo que podemos ofrecerte, me temo, un poco de potaje, pero el pan está recién hecho y caliente.

—Es un banquete, hija mía —dijo él, e inclinó la cabeza con gravedad—. Conocí a tu padre y le tuve en estima. Éste es un buen pan. —Le dedicó una sonrisa, y luego miró ceñudo a Santiago—. Y tú, ¿qué estás escribiendo?

—¡Cómo! Escribo exactamente lo que has dicho.

Y así empezó.

Duró una hora entera.

Hablaron, discutieron cada una de las condiciones y cláusulas usuales. Santiago regateó sin piedad cada punto concreto. Las propiedades de la muchacha serían suyas a perpetuidad, y si alguna vez su marido, alegando no importa qué motivo, la repudiaba, sus propiedades retornarían a ella con las indemnizaciones que reclamaran sus parientes; y así discutieron cada punto tal como solía hacerse siempre, y discutieron y siguieron discutiendo. Y Santiago se salió con la suya todas las veces. De vez en cuando Cleofás le hacía una seña de asentimiento, o alzaba un dedo para exigir cautela, pero en general fue Santiago quien lo negoció todo, hasta que todo quedó escrito. Y firmado.

—Ahora os ruego, señores, que permitáis que la novia se case lo antes posible —declaró Hananel con un encogimiento de hombros cansado. Su voz se había difuminado un poco a causa del vino, y se frotaba los ojos como si le dolieran—. En vista de lo que ha sufrido esa niña, en vista de la disposición de su padre, celebremos ya la ceremonia. Dentro de tres días o antes incluso, insisto, por el bien de la chica. Yo me ocuparé de inmediato de los preparativos en mi casa.

—No, señor —dije—. Eso no será así.

Santiago me dirigió una mirada aguda, llena de aprensión y desconfianza. Pero ninguna mujer me miró. Para ellas estaba clara la objeción que yo iba a plantear.

—Dentro de pocos meses —dije—, por Purim, Abigail estará preparada para recibir al cortejo del novio, cuando venga a esperarla en el umbral de esta casa, y lo recibirá convenientemente ataviada para su nuevo marido y debajo del pabellón; y todos nuestros parientes saldrán a saludaros y a cantar, y desfilarán con vosotros y bailarán con vosotros, y entonces ella será vuestra.

Santiago me dirigió una mirada encendida. Mi tío alzó las cejas pero no dijo nada. José me observaba con placidez.

Mi madre asintió y las demás mujeres la imitaron.

—Eso significa esperar más de tres meses —suspiró Rubén.

—Sí, señor —confirmé—. Inmediatamente después de Purim, cuando todos hayamos escuchado el pergamino de Esther, como corresponde hacer.

Hananel me miró fijamente y después accedió.

—De acuerdo. Estamos conformes.

—Pero ahora, si se me permite —pidió Rubén—, pido si es posible verla sólo un momento, hablar con ella, para darle este regalo.

—¿Qué regalo es ése? —preguntó Santiago.

Le hice un gesto de que callara. Todos sabíamos que el compromiso no quedaría cerrado hasta que Abigail recibiera el regalo de Rubén.

Santiago miró a Rubén, ceñudo.

Éste sacó el regalo con cuidado y apartó la envoltura de seda. Era un collar de oro, muy delicado y finamente trabajado. Tenía piedras preciosas que relucían. Yo nunca había visto nada así. Podía venir de Babilonia o de Roma.

—Dejadme ver si la chica está bien y puede hablar —dijo mi madre—. Señor, bebe tu vino y dame tiempo para hablar con ella. Estaré de vuelta tan pronto pueda.

Hubo algunos sonidos ahogados en la habitación de arriba. Bajaron varias mujeres. Rubén se puso en pie y Santiago hizo lo mismo. Yo estaba ya levantado.

Hananel miraba expectante, y las lámparas iluminaban su cara ligeramente despectiva y aburrida.

Trajeron a Abigail hasta la puerta.

Vestía una sencilla túnica de lana blanqueada y un manto, y llevaba el pelo recogido en unas hermosas trenzas.

Las mujeres la empujaron con suavidad hacia delante. Rubén quedó frente a ella.

Él susurró su nombre. Le tendió el regalo envuelto en

seda con ambas manos, como si fuera un objeto frágil que pudiera romperse en pedazos.

—Para ti, mi novia —dijo—. Si te dignas aceptarlo.

Abigail me miró. Yo le hice un gesto afirmativo.

—Vamos, puedes aceptarlo —la animó Santiago.

Ella recibió el regalo y desenvolvió la seda. Se quedó mirando el collar, en silencio. Estaba deslumbrada.

Sus ojos encontraron los de Rubén de Caná.

Yo miré al abuelo. Se había transformado. Su fría mirada de desdén había desaparecido. Miraba absorto a Abigail y su nieto. No dijo nada.

Fue Rubén quien habló con voz insegura.

—Mi preciosa Abigail —dijo—. He recorrido muchas leguas desde la última vez que te vi. He visto muchas maravillas y estudiado en muchas escuelas, y viajado a muchos lugares. Pero siempre he llevado en mi corazón un recuerdo querido, y era tu imagen, Abigail, cuando cantabas con las doncellas en el camino de Jerusalén. Y en mis sueños, oía tu voz.

Se miraron el uno al otro. El rostro de Abigail estaba sereno, y sus ojos, dulces y grandes. Entonces Rubén se ruborizó y tomó torpemente el collar, de modo que la seda en la que reposaba en las manos de Abigail cayó flotando al suelo. Él abrió el cierre e hizo un gesto: ¿podía ella ponérselo al cuello?

—Sí —dijo mi madre. Y tomó el collar de sus manos y cerró el broche en la nuca de Abigail.

Yo me adelanté y coloqué mis manos sobre los hombros de Rubén y Abigail.

—Habla a este joven, Abigail —dije en voz baja—. Hazle saber lo que guardas en tu corazón.

Las facciones de ella se suavizaron y colorearon, y su voz sonó ahogada y llena de emoción.

—Soy feliz, Rubén. —Entonces sus ojos se humedecieron—. He sufrido una desgracia —murmuró.

—Lo sé...

—¡No he sido prudente!

—Abigail —susurré—, ahora eres una novia.

—Mi pequeña —dijo Rubén—. ¿Quién de nosotros es prudente ante una adversidad tan grande? ¿Qué es la juventud, y qué la inocencia, sino tesoros que perdemos muy pronto ante los embates del mundo? El Señor te ha preservado para mí durante mis años de loco vagabundeo, y yo sólo puedo darle las gracias.

Las mujeres los rodearon, abrazaron y palmearon, y luego apartaron a Rubén y se llevaron a Abigail escaleras arriba.

Miré a Hananel. Me estaba observando con fijeza. Sus ojos revelaban astucia, pero la mirada era dócil y un poco triste.

Pareció que todos los presentes tenían necesidad de moverse, y ofrecieron a nuestros huéspedes trasladarse, si así lo deseaban, a una habitación seca y limpia que acababan de acondicionar, o insistieron en que bebieran un poco más de vino, o comieran más, o pasearan, o hicieran cualquier otra cosa que les apeteciera.

Hananel seguía con su mirada fija en mí. Me indicó que me acercara. Yo di unos pasos y me senté a su lado.

—¿Señor?

—Gracias, Yeshua hijo de José —dijo—, por haber venido a mi casa.

16

Finalmente, nuestros huéspedes quedaron acostados en sus habitaciones, en nuestras mejores alfombras, que habíamos colocado a guisa de camas sobre un lecho de paja, con los escasos almohadones finos que pudimos reunir y el inevitable brasero, y agua por si necesitaban. Por supuesto, aseguraron que aquello era mucho más de lo que esperaban, pero sabíamos que no era así e insistimos en proporcionarles sábanas de seda. Ellos rehusaron y nos dijeron que nos fuéramos a acostar. Yo volví a la habitación principal, donde dormía casi siempre, y me acosté al lado del brasero.

José tomó asiento en silencio como antes y me miró con ojos pensativos; y tío Cleofás se sentó frente al fuego y paladeó su tazón de vino a pequeños sorbos, mientras murmuraba algo para sí.

Yo sentía una violenta angustia. Me atacó mientras estaba tendido allí, en silencio y en la penumbra, sin hacer caso de las idas y venidas de mis hermanos José y Judas. Me atacó mientras era vagamente consciente de que Silas y Leví estaban haciendo los preparativos para acostarse, así como Cleofás el Menor y su esposa María.

Sabía que Abigail estaba a salvo y que en cierto modo sus desgracias habían terminado. Sabía que Hananel y su nieto Rubén serían buenos con ella toda su vida. Lo sabía.

Pero también sabía que había dado a Abigail a otro hombre, que la había perdido para siempre.

Y ahora me oprimía la cantidad de posibilidades, posibilidades que tal vez yo había entrevisto en los momentos íntimos cuando tendido en la arboleda pensaba en ella, posibilidades desbaratadas por la necesidad y por mi decisión. Ahora me llegaban como reproches susurrados que tomaban una forma etérea al pasar ante mis ojos empañados: Abigail mi esposa, Abigail y yo juntos en una casa pequeña, Abigail y yo dedicados a trabajos rutinarios en una glorieta con pámpanos colgando del emparrado, las fatigas diarias y su piel suave... Apenas puede uno atreverse a imaginar una cosa así, el roce de los labios, un cuerpo que se aprieta contra el mío en la oscuridad, noche tras noche... Ah, la esencia de lo que habría venido después, de todo lo que habría podido venir si yo la hubiera tomado por esposa, si hubiera hecho lo que esperaban de mí todos los hombres del pueblo, lo que habían esperado mis hermanos mucho antes que todos los demás hombres, si hubiera hecho lo que la costumbre y la tradición me exigían. Si hubiera hecho lo que mi propio corazón parecía desear para mí.

No quería dormir. Temía los sueños, quería paz, quería que llegara el día siguiente para poder caminar, quería que siguiera cayendo la lluvia hasta apagar todos los demás ruidos en aquella habitación, cada palabra que se pronunciara. ¿Y por qué a esas horas y después de tantos acontecimientos seguían hablando?

Levanté la vista. Santiago estaba de pie, mirándome ceñudo. A su lado estaba Cleofás. Mi madre tiraba de su hermano para llevárselo de allí, y finalmente Santiago lo soltó:

—¿Y cómo vamos a proporcionar a la novia un vestido adecuado y un velo y un pabellón y todos los acompañantes de los que has hablado con tanta vehemencia, para casarla con un hombre como el nieto de Hananel de Caná? —Se quitó las sandalias con rabia—. Dime qué escondes detrás de esa fanfarronada, dímelo tú que eres el responsable de este desastre, de este verdadero desastre. ¿Cómo puedes pedir para ella un ajuar y unos preparativos que nadie en esta casa ha podido dar ni siquiera a tu hermana?

Se disponía a soltar un torrente de palabras, pero yo me puse en pie.

Mi tío Cleofás habló en tono amable:

—¿Por qué no podías haberte casado tú con ella, hijo mío? —preguntó suplicante—. ¿Quién te obliga a no tomar mujer?

—Oh, vale demasiado para eso —declaró Santiago—. Quiere superar a Moisés, y no casarse; quiere hacerlo mejor que Elías, y no casarse. Vivir como un esenio, pero no con los esenios porque es demasiado bueno para ellos. Y de haber estado otro hombre con esa chica en la arboleda, ella estaría ahora perdida. Pero todos te conocen y saben que no, que tú jamás la tocarías.

Tomó aliento para soltar otra andanada de palabras, pero yo lo detuve.

—Antes de que te pongas enfermo de rabia —dije—, déjame que le pida una cosa a mi madre: por favor, ve a buscar los regalos que me hicieron cuando nací. Tráelos aquí, donde los veamos.

—Hijo mío, ¿estás seguro?

—Estoy seguro —contesté con la mirada fija en Santiago. Quiso hablar y le dije—: Espera.

Mi madre salió de la habitación.

Santiago se me quedó mirando con frío desdén, dispuesto a estallar en cualquier momento. Mis hermanos se habían agrupado ahora detrás de él. Mis sobrinos miraban también, y habían entrado en la habitación tía Esther y Mara. Shabi, Isaac y Menahim estaban de pie, apoyados contra la pared.

Yo miré con firmeza a Santiago.

—Estoy cansado de ti, hermano —dije—. En mi corazón, estoy cansado.

Se quedó atónito y estrechó los ojos.

Mi madre volvió. Traía un cofre demasiado pesado para ella, y Mara y Esther la ayudaron a llevarlo hasta el centro de la habitación y colocarlo en el suelo frente a nosotros.

Durante décadas ese cofre había estado escondido, incluso después de nuestro regreso de Egipto. Santiago había visto aquel cofre. Santiago sabía lo que contenía, pero mis otros hermanos nunca habían puesto sus ojos en él, porque eran hijos de mi tío Cleofás, y habían nacido después que yo. Ninguno de los más jóvenes lo había visto nunca. Tal vez los niños presentes en la habitación nunca habían oído hablar de él. Puede que Mara y María la Menor no supieran de su existencia.

Era un cofre persa, forrado con una lámina de oro y decorado de forma exquisita con espirales de pámpanos y granadas. Incluso las asas del cofre eran de oro. Brillaba a la luz, y resplandecía como lo había hecho el oro del collar de Abigail en su cuello.

—¡Nada es suficiente para ti!, ¿eh, Santiago? —dije conteniendo la voz. Luchaba por controlar mi ira—. Los ángeles que llenaron aquella noche el cielo de Belén, y los pastores que acudieron a la puerta del establo a contar a mi madre y mi padre que los ángeles cantaban, no, no bastan para ti. Y tampoco los Magos, los hombres lujosamente ataviados que venían de Persia y entraron en las estrechas calles de Belén con su caravana, guiados allí por una estrella que refulgía en el cielo. ¡No te basta! No te basta haber visto tú mismo a los hombres que dejaron este cofre al pie de mi cuna. No, no basta, nunca basta, ninguna señal es suficiente. Ni las palabras de nuestra santa prima Isabel, madre de Juan hijo de Zacarías, antes de morir, cuando nos contó las palabras pronunciadas por su marido al dar a su hijo el nombre de Juan, cuando nos habló del ángel que había anunciado su nacimiento. No, no basta. Y tampoco las palabras de los profetas.

Me detuve. Él se asustó. Dio un paso atrás y mis hermanos se apartaron también de mí, incómodos.

Yo di un paso adelante y Santiago retrocedió de nuevo.

—Eres mi hermano mayor y el cabeza de esta familia —dije—, y debo tener paciencia contigo. Y te he prestado obediencia y he intentado tener paciencia, y lo intentaré otra vez, y tendrás todo mi respeto porque te quiero y siempre te he querido, sabiendo quién eres y lo que eres, y que has soportado lo que todos hemos de soportar.

Él seguía sin habla, agitado.

—Pero ahora escucha esto —añadí.

Me acerqué al cofre y lo abrí. Retiré la tapa. Miré el contenido, los jarrones relucientes de alabastro y la gran colección de monedas de oro, abrigadas en su caja forrada de terciopelo. Saqué la caja y volqué las monedas en el suelo. Las vi relucir al desparramarse.

—Ahora escucha esto —repetí—. Esto es mío, me fue dado a mi nacimiento, y yo lo doy ahora para el ajuar de novia de Abigail, y para sus anillos y brazaletes y por todas las riquezas que le han sido arrebatadas; lo doy para su pabellón. ¡Lo doy para ella! Y hermano, te digo que no voy a casarme. ¡Y esto... esto es mi rescate por no hacerlo! —Señalé las monedas—. ¡Mi rescate!

Me miró desconcertado. Miró las monedas desparramadas. Monedas persas. Oro puro. El oro más puro con que un hombre puede acuñar una moneda.

No volví a mirarlas. Las había visto una vez, mucho tiempo atrás. Sabía qué aspecto tenían; sabía cuál era su tacto, su peso. No las miré ahora. Pero las vi brillar en la oscuridad.

Mi visión se nubló cuando volví a mirar a Santiago.

—Te quiero, hermano mío —dije—. ¡Pero ya déjame en paz!

Sus manos se alzaron, sus dedos se entreabrieron inseguros. Vino hacia mí.

Los dos nos acercamos para abrazarnos.

En ese momento sonaron golpes en la puerta, golpes insistentes, uno y otro y otro.

Fuera sonó la potente voz de Jasón.

—Yeshua, ábrenos. Yeshua, abre la puerta.

Agaché la cabeza y me crucé de brazos. Miré a mi madre y le dirigí una sonrisa cansada, y ella me acarició la nuca con su mano.

Cleofás abrió.

Desde el diluvio atronador de fuera entró el rabino, protegido bajo una cubierta de mantas de lana, y junto a él Jasón, amparado de la misma manera. El viento hizo portear con estrépito la puerta y una ráfaga cruzó la habitación como un animal salvaje entre nosotros. Cleofás cerró la puerta.

—Yeshua —dijo el rabino sin una palabra de saludo a los demás—. En nombre del Cielo, detenla.

—¿Detenerla? —preguntó Santiago—. ¿Detener a quién?

—¡La lluvia, Yeshua! —imploró el rabino desde la sombra de su capucha de lana—. ¡Yeshua, es una inundación!

—Yeshua —dijo Jasón—, el pueblo está a punto de desaparecer bajo las aguas. Todas las cisternas, los *mikvahs*, los cántaros, están llenos a rebosar. ¡Estamos en medio de un lago! ¿Quieres mirar fuera? ¿Quieres oírlo? ¿Puedes escucharlo?

—¿Queréis que rece para que deje de llover? —pregunté.

—Sí —dijo el rabino—. Rezaste para que empezara, ¿no es así?

—Recé durante semanas, como todos los demás. —Era cierto. Mi mente volvió al momento terrible en el claro de la colina. «Padre, deténlo... Envía la lluvia»—. Rabino —le dije—, por más que yo rezara, fue el Señor mismo quien nos envió la lluvia.

—Bueno, claro que sí, sin duda, hijo mío —repuso el rabino con suavidad, las manos tendidas para encontrar las mías—. ¡Pero por favor, reza de nuevo al Señor para que Él pare la lluvia! Te lo ruego.

Mi tía Esther se echó a reír. Cleofás también empezó a reírse, con una risa ahogada como un susurro, hasta que mi tía Salomé se unió a ellos, seguida inmediatamente por María la Menor.

—¡Silencio! —dijo Santiago. Todavía estaba agitado por lo sucedido antes, pero se contuvo y me miró—. Yeshua, ¿quieres dirigir el rezo de todos para que el Señor cierre las compuertas del cielo ahora, si ésa es Su voluntad?

—¡Daos prisa! —urgió Jasón.

—Callad —dijo el rabino—. Yeshua, reza.

Yo incliné la cabeza. Les aparté a todos de mi mente.

Aparté de mi mente todo lo que se interponía entre mí y las palabras que pronunciaba; puse en ellas mi corazón y mi aliento.

—Señor bondadoso, creador de todas las cosas buenas —dije—, que nos has salvado en este día del derramamiento de sangre inocente...

—¡Yeshua! ¡Pídele sólo que pare la lluvia! —exclamó Jasón—. Si no, todos los miembros de esta familia tendremos que ir por martillos, clavos y madera para construir un arca, ¡porque vamos a necesitarla!

Cleofás estalló en una risa incontenible. Las mujeres intentaban disimular sus sonrisas. Los niños miraban pasmados.

—¿Puedo continuar?

—Reza, antes de que todas las casas se derrumben —me urgió Jasón.

—Señor de los Cielos, si es Tu voluntad, haz que acabe esta lluvia.

La lluvia cesó.

El repiqueteo en el techo cesó. Cesaron las ráfagas furiosas contra los postigos. El silbido agudo de la lluvia azotando los árboles se apagó.

La habitación quedó sumida en un silencio incómodo. Luego oímos el gorgoteo del agua que bajaba por los desagües, se agolpaba en los numerosos canalones y goteaba desde el borde de los aleros.

Me invadió una sensación de frío, un hormigueo como si mi piel estuviera doblemente viva. Sentí un vacío, y luego una recuperación gradual de lo que fuera que había salido de mí. Suspiré, y de nuevo mi visión se hizo húmeda y borrosa.

Oí al rabino entonar el salmo de acción de gracias. Recité las palabras con él.

Cuando llegó al final, empecé otro en la lengua sagrada:

—Resuene el mar y cuanto contiene —dije—, y el mundo con todos los que lo habitan. Que los ríos alcen las manos para aplaudir, que las montañas griten de alegría, ante el Señor que llega, que viene a gobernar la Tierra, a gobernar el mundo con justicia y a los pueblos con equidad.

Ellos repitieron mis palabras.

Me sentía mareado, y tan cansado que podía haberme dejado caer allí mismo. Me volví y me arrimé a la pared, y muy despacio tomé asiento a la izquierda del brasero. José se sentó también y se quedó observándome como antes.

Finalmente, levanté la vista. Todos estaban en silencio, incluso los niños más pequeños. El rabino me miraba con dulzura y cierta tristeza, y Jasón parecía embobado, hasta que se sacudió como si volviera a la realidad y me dijo con una reverencia:

—Gracias, Yeshua.

El rabino me dio también las gracias, y lo mismo hicieron todos los presentes, uno por uno.

Luego Jasón señaló.

—¿Qué es eso?

Miraba el cofre de oro. Su mirada recorrió las monedas desparramadas que relucían en la penumbra. Tragó saliva, asombrado:

—De modo que eso es el tesoro —dijo—. Vaya, nunca creí que existiera.

—Ven, vámonos —dijo el rabino, y le empujó hacia la puerta—. Buenas noches a todos, benditos niños, y mi bendición a todos los que se cobijan bajo este techo. Y muchas gracias de nuevo.

Se oyeron murmullos corteses, ofrecimientos de vino, los inevitables cumplidos. La puerta se abrió y volvió a cerrarse. Silencio. Me tendí de lado, con mi brazo como almohada, y cerré los ojos.

Alguien recogió las monedas y volvió a colocarlas en su caja. Eso fue todo lo que llegué a oír, y unos pasos cautelosos. Luego me sumergí en un lugar seguro, un lugar donde podría estar solo por unos momentos, a pesar de todas las personas apiñadas a mi alrededor.

17

La tierra estaba recién lavada. El arroyo rebosaba y los campos habían absorbido la lluvia y pronto estuvieron listos para el arado, a tiempo aún para una cosecha abundante. El polvo ya no cubría la hierba y los viejos árboles, y los caminos, blandos y encharcados el primer día, quedaron desde el segundo bastante practicables, y por todas partes en las colinas brotaron las inevitables y confiadas flores silvestres.

Todas las cisternas, los *mikvahs*, cántaros, jarras, barreños y barriles de Nazaret y las aldeas próximas estaban llenos a rebosar. En todo el pueblo se desplegó el lujo y la alegría de la ropa lavada y tendida a secar. Las mujeres reanudaron con pasión renovada el trabajo en los huertos.

Por supuesto se habló mucho de la existencia de hombres santos que podían traer la lluvia y hacer que parara simplemente con pedirlo al Señor; el más famoso de ellos había sido probablemente Joni, el dibujante de círculos, un galileo de varias generaciones atrás, pero hubo también muchos otros.

Y así, la gente venía a verme y entraba y salía de casa, no para decir «Ah, qué gran milagro, Yeshua», sino más bien: «¿Por qué no rezaste antes para que lloviera?», o «Yeshua, sabíamos que sólo era necesario que tú rezaras, pero la cuestión es por qué esperaste tanto», y así sucesivamente.

Algunos lo decían en tono de broma, y la mayoría con buena intención. Pero algunos hacían esas observaciones en son de burla, y la murmuración recorría todo Nazaret y se decía: «¡De haber estado cualquier otro hombre en aquella arboleda...!», y «Bueno, visto que se trataba de Yeshua, está claro que no ocurrió nada».

Toda la familia andaba atareada con los trabajos que había que acometer, e incluso Ana la Muda se decidió a salir del pueblo por primera vez desde su llegada años atrás, y acompañó a mis tías y a mi madre a Séforis, a comprar el lino más fino y transparente para la túnica de Abigail, y vestidos y velos, y para visitar a quienes vendían los bordados de oro más delicados.

Mientras trabajábamos en varios encargos en Séforis, busqué todas las ocasiones que pude para ayudar a Santiago, y él me agradeció esa pequeña amabilidad. Le pasaba el brazo por el hombro siempre que podía, y él hacía lo mismo conmigo; y nuestros hermanos vieron esos abrazos y oyeron las palabras amables, y lo mismo ocurrió con las mujeres de la casa. De hecho, su esposa Mara llegó a declarar que él parecía otro hombre y que ojalá le hubiera reprendido yo mucho antes. Pero no me lo dijo a mí. Se lo oí decir a tía Esther en un susurro.

Desde luego, Santiago preguntó en cierto momento, porque creía que era lo mejor, por qué no llamábamos a la comadrona, para que Rubén de Caná pudiera tener una certeza completa. Pensé que mis tías iban a hacerle pedazos con sus propias manos.

—¿Y cuántas comadronas tendrán que hurgar en ese

territorio virginal —preguntó mi tía Esther—, antes de que se rompa la misma puerta que esperan encontrar intacta? ¿A ti qué te parece?

Y no se volvió a hablar del tema.

No volví a ver a Abigail. Estaba recluida con la vieja Bruria en las habitaciones reservadas a las mujeres, pero llegaron tres cartas dirigidas a ella de parte de Rubén bar Daniel bar Hananel de Caná, y ella las leyó delante de todas las mujeres reunidas, y escribió las respuestas de propia mano, expresando sentimientos cariñosos y dulces, y esas cartas yo mismo las llevé por ella a Caná.

En cuanto a Rubén, venía al pueblo siempre que podía para discutir con Jasón este o aquel punto de la Ley, pero sobre todo para pasear con la vana esperanza de ver siquiera un instante a su novia, cosa que no ocurrió.

En cuanto a Shemayah, él mismo se había labrado su vergüenza. Un hombre rico, el más rico con diferencia de Nazaret, había hecho lo que sólo un pobre hombre se habría atrevido a hacer, lo que nunca habría intentado ningún otro. Y lo había hecho de una forma inesperada y definitiva.

Lo primero que se supo de Shemayah fue una semana más tarde, cuando arrojó a nuestro patio todos los objetos y vestidos que habían pertenecido a su hija.

Oh, bueno, todas esas pertenencias preciosas estaban guardadas en cofres de cuero, y no se estropearon a pesar de haber atravesado las celosías como proyectiles lanzados contra una ciudad sitiada.

En cuanto a mí mismo, me sentía atormentado.

Mi cansancio era comparable al de un hombre que hubiera trepado durante siete días, sin parar un instante, a una montaña empinada. No podía ir a la arboleda a dormir. No, la arboleda estaba ahora manchada por mis propios errores y nunca podría encontrar en ella la paz de antes, y sí en cambio me atraería nuevas recriminaciones, burlas y desprecios. La arboleda me estaba vedada.

Y nunca la había necesitado tanto. Nunca había necesitado a tal extremo estar solo, disfrutar de ese sencillo e inocente gozo.

Caminé.

Caminé al atardecer por las colinas; fui y volví por el camino de Caná y llegué tan lejos como pude y a veces volví a casa ya de noche cerrada, bien envuelto en mi manto, con los dedos helados. No me importaba el frío. No me importaba el cansancio. Tenía un propósito, y era el de alejarme de aquel lugar para poder luego dormir sin sueños, y de ese modo conseguir de alguna manera soportar el dolor que sentía.

No podía señalar una causa real a ese dolor. No era porque los hombres murmuraran que yo había estado solo con la chica; no era porque pronto la vería felizmente casada. Ni siquiera por haber herido a mi hermano, porque al dedicarme a curar esa herida sentí el fraternal afecto que él me profesaba, y el mío por él, con una intensidad particular.

Era una inquietud terrible, la sensación continua de que todo lo que había ocurrido a mi alrededor era de alguna manera una señal.

Finalmente, una tarde después de concluido el trabajo del día —colocar un suelo, cosa que me dejó las rodillas tan doloridas como siempre—, fui a la Casa de los esenios en Séforis, y dejé que aquellos hombres amables vestidos de lino lavaran mis pies, como era su costumbre con cualquier hombre cansado que se acercara por allí, y me ofrecieran un vaso de agua fresca.

Me senté junto a un pequeño hogar próximo al patio

interior, y los observé largamente. No conocía los nombres de quienes trabajaban en aquella casa. Los esenios tenían muchas casas así, aunque por supuesto no para hombres que, como yo mismo, vivían en los alrededores, sino para los viajeros necesitados de alojamiento.

¿Me conocían aquellos jóvenes que procedían de otras comunidades de esenios? No lo sé. Observé los grupos en movimiento de quienes se dedicaban a barrer y limpiar, y a quienes, más lejos, leían en la pequeña biblioteca. Allí había algunos ancianos que sin duda conocían a todo el mundo.

No me atreví a plantear una pregunta en mi mente. Sólo me quedé allí sentado, esperando. Esperando.

Finalmente, uno de los más ancianos se acercó vacilante, arrastrando una pierna y ayudándose con un bastón que empuñaba en la mano derecha, y se sentó en el banco a mi lado.

—Yeshua bar Yosef —dijo—, ¿tienes alguna noticia reciente de tu primo?

Ésa era la respuesta a mi pregunta no formulada.

Ellos no sabían dónde estaba Juan hijo de Zacarías, y nosotros tampoco.

Le dije que no teníamos noticias, y luego hablamos con tranquilidad, el anciano y yo, sobre quienes se internan en el desierto para rezar, para encontrarse a solas con el Señor, y cómo debían de ser las noches solitarias bajo las estrellas, con el aullido del viento del desierto. El anciano no lo sabía por experiencia propia, y yo tampoco. Ninguno de los dos volvió a pronunciar el nombre de Juan.

Después volví a casa dando un largo rodeo, trepando primero a un pequeño otero, cruzando después un claro entre los olivos, y luego siguiendo la orilla del arroyo. Finalmente, lo vadeé cuando ya sentía los huesos doloridos y suspiraba por sentarme junto al fuego con un aspecto de agotamiento tal que a nadie se le ocurriera hacerme preguntas.

¿Cuántos días pasaron?

No los conté. La lluvia volvió a visitarnos, en forma de bienvenidos chaparrones ligeros. Una bendición para cada brizna de hierba de los campos.

Shemayah volvió a ser visto trabajando; con sus propias manos empuñó el arado, cuando hasta entonces había estado encerrado y se había negado a dar incluso las órdenes más sencillas. Le vi una mañana cruzar la calle como un viento de tormenta y golpear la puerta de su casa como si estuviera en guerra con su propia vivienda.

Días. Días de un frío vigorizante, de movedizas nubes blancas, de tierra verde vibrante a nuestro alrededor. Días en que la hiedra trepaba de nuevo por las celosías, y días de planes optimistas y grandes esperanzas. Cleofás el Menor y María la Menor pronto tendrían un niño, y así nos lo anunciaron, aunque por supuesto ya había visto las señales evidentes de su espera. Y no llegaban nuevas noticias de Judea, salvo que Poncio Pilatos parecía haberse instalado sin más incidencias que algunos roces de poca importancia con las autoridades del Templo.

Una noche, después de haber caminado al azar hasta quedarme sin fuerzas, con la cabeza hirviendo, entré en casa mucho después de la hora de la cena, comí un pedazo de pan y algo de potaje y me eché a dormir. Noté que mi madre me tapaba con una manta nueva, que olía a limpio. Ahora teníamos tanta agua que la casa olía siempre a lana recién lavada. Le besé la mano antes de que se fuera. Me sumergí a través de varias capas de sueños hasta dejarme caer suavemente en la inconsciencia.

De pronto me despertó un llanto. Un llanto estremecedor. El llanto de un hombre que no sabe llorar. El llanto ahogado y desesperado de alguien que no soporta hacer algo así.

En la habitación todo estaba tranquilo. Las mujeres cosían al lado del fuego. Mi madre preguntó:

—¿Qué te pasa?

—Oigo llorar —dije—. Alguien llora.

—En esta casa no —dijo Santiago.

Aparté la manta.

—¿Dónde está el contrato de matrimonio de Abigail?

—Cómo, pues guardado en ese cofre. ¿Por qué lo preguntas? —dijo Santiago—. ¿Qué te pasa?

No era el cofre de oro de los regalos de los Magos, sino el modesto cofre donde guardábamos la tinta y los documentos importantes.

Fui al cofre, lo abrí y saqué el contrato de matrimonio. Lo enrollé muy apretado, lo até con una tira de cuero y salí de la casa.

Poco antes había caído una lluvia ligera.

Las calles relucían. Bajo el cielo luminoso, Nazaret parecía un pueblo hecho de plata.

La puerta de la casa de Shemayah estaba abierta y dejaba filtrar una luz tenue.

Me acerqué y la empujé.

Le oí llorar. Oí aquel horrible sonido atragantado, amargo, casi como si su dolor lo estuviera estrangulando.

Estaba sentado solo en una habitación sombría. Las brasas se habían consumido hacía tiempo y apenas si quedaban las cenizas. Sólo ardía una lámpara en el suelo, una pequeña lámpara de loza cuyo aceite despedía un perfume suave, el único lujo de aquel lugar.

Cerré la puerta, me acerqué y me senté a su lado. No me miró.

Sabía cómo empezar aquello, de modo que le dije que lamentaba mucho todo lo que había pasado, y que mis actos le hubieran hecho sentirse tan desgraciado. Me sinceré.

—Lo siento mucho, Shemayah —dije.

Su llanto se redobló, resonando en aquella habitación pequeña, pero no dijo ni una palabra. Se inclinó hacia delante, tembloroso.

—Shemayah, he traído el contrato de matrimonio —le dije—. Todo se ha hecho de forma conveniente y justa, y ella se casará con Rubén de Caná. Está aquí, Shemayah, está escrito.

Buscó a tientas con la mano izquierda, palpó el pergamino, lo apartó con un gesto suave y se volvió hacia mí sin mirar. Me pasó un pesado brazo alrededor del cuello y lloró sobre mi hombro.

18

Pasó tal vez una hora antes de que me fuera de allí. Me llevé el contrato de matrimonio y lo dejé en el cofre. Nadie se dio cuenta.

En casa, Jasón y el rabino estaban de pie, lo mismo que la mayoría de mis hermanos, hablando en tono excitado.

—¡Dónde estabas! —exclamó mi madre, y enseguida me vi rodeado por caras ansiosas. Sentí el susurro de un pergamino mientras Jasón me palmeaba el hombro.

—Jasón, déjame por esta noche, por favor —dije—. Tengo sueño y lo único que deseo es acostarme. Sea lo que sea, ¿no podemos hablar de ello mañana?

—Oh, pero tienes que oír esto —dijo mi madre—. María la Menor —añadió—, ve a llamar a Abigail.

Empecé a preguntar qué tenía que oír, qué era tan importante para despertar a Abigail y hacerla venir, y ellos me lo dijeron todos a la vez, interrumpiéndose unos a otros.

—Cartas —dijo mi madre—. Cartas que tienes que escuchar.

—Cartas —confirmó el rabino—, cartas de Cafarnaum, de tu primo Juan hijo de Zebedeo, y de tu hermana Salomé la Menor.

—El mensajero acaba de traerlas —aclaró Jasón—. Yo tengo una carta. Mi tío tiene otra. Y han llegado también para personas que viven más arriba en la ladera de la colina y más abajo por la ladera del otro lado. Escucha, tienes que oír esto. Mañana y pasado mañana, toda Galilea sabrá estas cosas.

Me dejé caer en mi rincón habitual.

José estaba despierto, sentado muy derecho contra la pared, observando a todos con atención.

—Este mensaje viene de Jerusalén —dijo Jasón—, y la carta que ha recibido mi tío, de Tiberíades.

Abigail, soñolienta y preocupada, entró en la habitación y se sentó al lado de María la Menor.

Santiago levantó la carta para que yo la viera.

—De Juan hijo de Zebedeo, nuestro primo —dijo—. Nos la envía a todos nosotros... y a ti.

El rabino se volvió y le pidió a Santiago la carta.

—Por favor, Santiago —dijo—, deja que la lea yo, puesto que él, vuestro joven primo, es quien ha sido testigo de estas cosas.

Santiago se la entregó. Josías pasó la lámpara a Santiago, que la sostuvo en alto para que el rabino pudiera leer a su luz.

La carta estaba en griego. El rabino leyó rápidamente las frases iniciales de saludo:

—«Esto es lo que deseo haceros saber a ti y a todos vosotros, en especial a mi primo Yeshua bar Yosef, y no descansaré hasta que él lo haya escuchado. —Y continuó—: Nuestro pariente Juan hijo de Zacarías ha salido del desierto y llegado al Jordán, y se dirige ahora hacia el norte, al mar de Galilea. Está bautizando a todos los que vienen a él. Se cubre únicamente con una piel de camello ceñida con una correa de cuero, y ha vivido en el desierto sin comer otra cosa que saltamontes y miel silvestre. Ahora dice a todos: "Soy la voz del que clama en el desierto, preparo el camino del Señor." Y también: "Arrepentíos, porque el Reino de los Cielos está cerca." Y todos acuden a él, desde Jerusalén y Jericó y las ciudades situadas al norte y hasta el mar. Y él los bautiza cuando han confesado sus pecados. Y esto es lo que ha dicho Juan a los fariseos que han ido a interrogarle: "No, no soy el Cristo. No soy el Profeta. Yo bautizo con agua; pero detrás de mí viene quien es más fuerte que yo, que no merezco desatar la correa de sus sandalias. Él os bautizará en el Espíritu Santo y en el fuego. Él está entre vosotros, pero vosotros no lo conocéis." —El rabino hizo una pausa, y luego prosiguió—. Estas cosas las he visto con mis propios ojos, y os pido, parientes míos, que las hagáis saber a Yeshua bar Yosef mientras yo me vuelvo al Jordán. Juan hijo de Zebedeo.»

El rabino bajó el rollo de pergamino y nos miró a mí, a José y a Jasón.

—Están yendo allí por centenares —dijo éste—. De todas las ciudades río arriba y río abajo, de la Ciudad Santa y de más lejos. Los sacerdotes y los fariseos han corrido a verle.

—Pero ¿qué significa que bautiza para el perdón de los pecados? —preguntó mi tío Cleofás—. ¿Cuándo ha hecho alguien una cosa así? ¿Lo hace como sacerdote, como lo haría su padre?

—No —dijo el rabino—. No creo que lo haga como sacerdote.

Devolvió la carta a Santiago.

—Escucha esto —dijo Jasón—. Es lo que dijo a los fariseos y saduceos que viajaron desde Jerusalén para interrogarle. —Leyó de su carta—: «Sois una raza de víboras,

¿quién os ha advertido de que huyáis de la ira inminente? Dad frutos de arrepentimiento antes de acercaros a mí. Y no os digáis a vosotros mismos o entre vosotros "Tenemos por padre a Abraham". Porque os digo que Dios puede tomar las piedras que hay aquí y convertirlas en hijos de Abraham.» —Paró de leer y me miró; luego a José, y por fin al rabino.

Mi hermano Josías dijo:

—¿Qué significa todo eso? ¿Está diciendo como los esenios que el Templo es impuro, que las ofrendas que se hacen allí para el perdón de los pecados son inútiles?

—Se dirige hacia el norte por la ribera de Perea —dijo Jasón—. Yo voy allí. Quiero ver por mí mismo esa novedad.

—¿Y ser bautizado? ¿Te someterás a ese rito para el perdón de los pecados? —preguntó el rabino en voz baja—. ¿Vas a hacer eso?

—Lo haré si me parece correcto —declaró Jasón.

—¿Pero qué puede significar que un hombre bautice a otro, o a una mujer, para lo que importa? —terció mi tía Esther—. ¿Qué significa? ¿No somos todos judíos? ¿No estamos purificados cuando salimos de los baños y entramos en los patios del Templo? Ni siquiera los prosélitos se bañan para el perdón de sus pecados, ¿no es así? ¿Está diciendo que todos hemos de ser prosélitos?

Me puse en pie.

—Yo iré —dije.

—Vamos todos contigo —dijo José. Inmediatamente, mi madre dijo lo mismo. Todos mis hermanos estuvieron de acuerdo.

Mi madre me tendió la carta que había recibido de mi hermana Salomé la Menor. Mis ojos tropezaron con las palabras «desde Betsaida, desde Cafarnaum».

—Yo también quiero hacer ese viaje —dijo la vieja Bruria—. Llevaremos con nosotros a esta niña —añadió, y pasó su brazo por los hombros de Abigail.

—Todos lo haremos —dijo Santiago—. Todos, tan pronto como se haga de día, prepararemos el equipaje e iremos, y llevaremos provisiones para las fiestas. Iremos todos.

—Sí —dijo el rabino—, será como ir al Templo, como asistir a una fiesta. Yo iré con vosotros. Ahora ven conmigo, Jasón, he de hablar a los ancianos.

—Oigo voces fuera —dijo Menahim—. Escuchad. Todos hablan de lo mismo.

Salió corriendo a la oscuridad y dejó abierta la puerta a su espalda.

Mi madre había inclinado la cabeza con la mano en la oreja como para escuchar una voz lejana y apagada. Me acerqué a ella.

Jasón se había marchado y el rabino se despedía. La vieja Bruria se puso a nuestro lado.

Mi madre se esforzaba por recordar, y recitó:

—«Estará lleno del Espíritu Santo ya desde el seno de su madre. Convertirá a muchos hijos de Israel al Señor su Dios, y le precederá con el espíritu y el poder de Elías para hacer volver los corazones de los padres a los hijos, y a los rebeldes a la sabiduría de los justos, para preparar un pueblo bien dispuesto al Señor.»

—¿Pero quién dijo eso? —preguntó José el Menor. Shabi e Isaac repitieron la misma pregunta.

—¿De quién son esas palabras? —preguntó Silas.

—Fueron dichas a otro —respondió mi madre—, pero por alguien que también me visitó a mí.

Me miró con ojos tristes.

A nuestro alrededor, los demás compartían comentarios y preguntas, y hablaban de los preparativos del viaje.

—No temas —dije a mi madre. La atraje hacia mí y la besé. Apenas podía contener mi felicidad.

Ella cerró los ojos y se apoyó sobre mi pecho.

De pronto, en medio de todas aquellas prisas y conversaciones, en medio del acuerdo general de que habíamos de ir todos, de que ahora no era posible hacer nada en la oscuridad, de que teníamos que esperar a que amaneciera, en medio de todo aquello y estrechamente abrazado a ella, comprendí la expresión que había visto en los ojos de mi madre. Comprendí lo que había tomado por temor o tristeza.

Y cuando recuerde esos días, esos largos días agotadores, cuando los recuerde desde algún otro lugar, muy lejos de aquí, ¿pensaré que fueron días felices? ¿Los recordaré con cariño?

Nadie la oyó excepto yo cuando me dijo:

—En el Templo había un hombre cuando te llevamos allí, al nacer tú, antes de que llegaran los Magos con sus regalos.

Yo escuché.

—Y él me dijo: «Y una espada atravesará también tu corazón.»

—Ah, nunca antes me habías contado esas palabras —le respondí en secreto, como si sólo le estuviera besando la mejilla.

—No, pero me pregunto si no ocurrirá ahora —dijo.

—Éste es un momento feliz —repuse—. Una época buena y dulce, y nos vamos todos de viaje como una familia unida. ¿No es así?

—Sí —susurró—. Bien, ahora he de irme. Tengo muchas cosas que preparar.

—Sólo un minuto más —dije, y la abracé más fuerte.

No la solté hasta que me vi obligado a hacerlo. Alguien entró gritando que Rubén había venido cabalgando desde Caná, y que también se había enterado de las noticias. Y que Shemayah estaba plantado en la calle, observando nuestro patio.

Supe que tenía que salir, cogerlo de la mano y traerlo a ver a Abigail.

19

Fue un largo viaje hacia el este y el sur, paso a paso y canción a canción.

La noche del primer día, éramos una masa informe de peregrinos, tan grande como nunca se había visto en el camino de Jerusalén, y en efecto muchas personas salían de sus ciudades y sus pueblos para esto, como lo habrían hecho para asistir a las fiestas.

Shemayah y todos sus braceros viajaban con nosotros. Pero Abigail iba en el carro, con mi madre y mis tías mayores y María la Menor, todas apretujadas en el interior. José y tío Cleofás viajaban con tío Alfeo en la carreta más grande, con los numerosos bultos y cestos; el rabino montaba su burro blanco, y Rubén y Jasón sus caballos fuertes e incansables, que a menudo se adelantaban haciendo cabriolas y nos esperaban en la ciudad o el mercado más próximos, o sencillamente regresaban a paso más lento a reunirse de nuevo con nosotros.

El anciano Hananel de Caná y sus esclavos nos alcanzaron al tercer día, y desde ese momento fueron con nosotros, a pesar de que nos veíamos obligados a avanzar a un paso bastante fatigoso. Y por las noches era igual que en las peregrinaciones, cuando extendíamos en el suelo nuestras mantas, plantábamos las tiendas, encendíamos hogueras y recitábamos oraciones e himnos.

Allá donde nos deteníamos encontrábamos gente que había estado en el río, que había sido bautizada por Juan y sus discípulos, que había oído en persona al «profeta Juan». Los que volvían a casa lo hacían alegres, con una expectación nueva aunque no motivada por ninguna profecía en particular, ni con ningún agravio ni motivo de queja concreto.

Por supuesto, los hombres no se detenían a averiguar qué era ese bautismo y qué significaba. Se unían a nosotros maestros y escolares, y jóvenes a caballo nos adelantaban. Encontramos grupos de soldados del rey que habían estado en el río y no contaban más que cosas buenas de allí, e incluso algunos soldados romanos que se dirigían al río desde Cesarea se detenían a compartir un trago de vino con nosotros, o a comer un poco de potaje y un pedazo de pan.

Los romanos sentían curiosidad por aquel extraño hombre que atraía multitudes a las orillas del río. Nos hablaban con cierto hastío de aquello, pero a pesar de todo querían ver al hombre vestido con una piel de camello que se metía hasta las rodillas en el agua del Jordán para ofrecer una purificación. Después de todo, dijeron, ellos tenían sus propios santuarios en uno u otro lugar de su país, y sus propios ritos, igual que nosotros. Nosotros asentíamos. Nos sentíamos felices por dejar que se sentaran un rato y tomaran un bocado con nosotros antes de seguir apresuradamente su camino.

Los escolares se sentaban en círculo al anochecer y recitaban los fragmentos de las Escrituras relacionados con el importante tema de la purificación en las aguas del Jordán.

Hablaban del profeta Eliseo y de cómo había enviado a Naaman, el leproso, a bañarse siete veces en el Jordán.

—Pero el profeta no lo bautizó —dijo uno de los escolares.

—No, no lo hizo él en persona, pero dijo a aquel hombre que se bañara.

—Y recuerda —dijo de pasada el rabino una noche— que el leproso estaba furioso con el profeta, ¿no es así? Estaba furioso con él, recuérdalo, irritado porque el profeta no salió a verle sino que le envió sin más a hacer aquello... Y yo os pregunto: ¿qué fue, qué fue lo que ocurrió luego?

A menudo surgía el siguiente tema: ¿acaso era que estábamos celebrando nuestra reciente victoria en Cesarea? Los rabinos y los fariseos hablaban de eso, y también los soldados. Pero los rabinos señalaban con vehemencia que el lugar para dar gracias al Señor no era la orilla del río sino el Templo, que había sido ultrajado de manera tan burda por la proximidad de los estandartes de Pilatos. Nadie estuvo en desacuerdo.

Y cuando los soldados romanos preguntaban si tanta alegría era debida a que el gobernador romano había renunciado a su primera intención, no lo hacían por provocación ni por preocupación, sino sólo por curiosidad. Por qué iba tanta gente a ver a ese hombre, gente del norte y el sur, del este y el oeste, gente incluso de las ciudades griegas de la Decápolis.

Lo cierto es que, antes o después, casi todo el mundo tenía algo que comentar acerca de la enorme multitud que se dirigía al río.

—¿Tan cansados y hambrientos estamos de esperar a un verdadero profeta después de tantos siglos —preguntaba Jasón—, que abandonamos nuestras casas y nuestros campos en cuanto se rumorea que un hombre puede traernos una nueva sabiduría o algún consuelo especial?

—¿Han pasado de verdad cuatrocientos años —argumentaba su tío Jacimus— desde que habló el último profeta, o es sencillamente que somos sordos a los profetas que el Señor nos envía? No dejo de preguntármelo.

Era inevitable que la gente discutiera sobre el Templo. Discutían sobre si el Templo era o no demasiado griego o demasiado grande, sobre si estaba demasiado abarrotado de libros y maestros y cambistas de dinero, y de multitudes de gentiles boquiabiertos a los que siempre había que recordar que no les estaba permitido entrar en los patios interiores, a los que era necesario amenazar de muerte si no obedecían las leyes; y en cuanto a los sacerdotes, José Caifás y su suegro Anás, bueno, la gente también tenía muchas cosas que decir sobre ellos.

—Por lo que se refiere a Caifás, una cosa está clara —intervenía mi tío Cleofás siempre que tenía ocasión—. Ese hombre lleva mucho tiempo sin ceder a las presiones políticas.

—Dices eso porque es pariente tuyo —replicó un peregrino.

—No; lo digo porque es verdad —respondió Cleofás, y recitó los nombres de sumos sacerdotes puestos y depuestos al poco tiempo, incluidos los nombrados por la Casa de Herodes y más tarde por los romanos.

Esa cuestión de que los romanos nombraran a nuestros sumos sacerdotes daba pie a empezar una discusión acalorada. Pero había suficientes personas mayores para calmar a los impulsivos, e incluso Hananel habló un par de veces para rechazar con desdén cualquier idea de purificar el Templo, como proponían desde mucho atrás los esenios.

—Eso es pura palabrería —afirmó—. ¡Es nuestro Templo!

Toda mi vida había oído la misma clase de discusiones y quejas. A veces seguía el hilo de los argumentos, pero la mayoría de las veces mi mente se evadía. Nadie esperaba que yo dijera nada en un sentido o en otro.

Muchos de quienes viajaban con nosotros no sabían que Juan hijo de Zacarías era primo nuestro. Quienes sí lo sabían eran rápidamente silenciados por nuestra simple afirmación de que sabíamos muy poco de él, porque los años y las distancias nos habían separado por completo.

Yo había visto a Juan por última vez cuando era un niño de siete años.

Por supuesto, Jasón podía describirlo de forma bastante detallada, pero siempre se remitía a la misma imagen, interesante pero remota: estudioso, piadoso, un modelo entre los esenios, de los que después había desertado para llevar una vida todavía más dura en el desierto tórrido.

Mi madre, que podía haber contado más historias sobre Juan y sus padres que ninguno de los presentes, no decía nada. Mi madre, en los meses anteriores a mi nacimiento, había ido a alojarse en casa de Isabel y Zacarías, y a esos días correspondían las historias que Jasón me había repetido: el canto de gozo de mi madre, la profecía de Zacarías cuando nació su hijo. Todas cosas bien conocidas para mi madre. Pero tampoco ahora se preocupaba, como nunca lo había hecho, de sumarse a la conversación de los fariseos y los escribas; y los sobrinos más jóvenes, que sólo habían oído fragmentos y alusiones de esas historias, estaban ansiosos por saber más.

Jasón también guardaba sus secretos, aunque muchas noches junto al fuego vi claramente que ardía en deseos de ponerse en pie y recitar de memoria las oraciones que había aprendido de Juan, que a su vez las había sabido a través de mi madre y de sus propios padres.

Le dedicaba una pequeña sonrisa de vez en cuando, y él me guiñaba un ojo y sacudía la cabeza; pero aceptó que aquéllas no eran historias para ser contadas. Y entretanto seguían las discusiones sobre quién era aquel Juan al que con tanta devoción nos encomendábamos todos.

Cuando dejamos las altas colinas de Galilea y descendimos al valle del Jordán, el aire se hizo más cálido y agradable. Al principio el paisaje era seco. Después llegamos a las marismas pobladas de juncos que bordeaban el río, y cuanto más avanzábamos, más frecuentes eran las noticias que nos llegaban de que Juan, que se aproximaba a nosotros desde el sur administrando el bautismo, podía estar más cerca incluso de lo que pensábamos. Y que el día menos pensado íbamos a toparnos con él.

José no se encontraba bien.

Empezó a quedarse a dormir en la carreta a todas horas, y Santiago y yo nos estremecíamos cuando le veíamos dormir de esa forma, profundamente, todo el día. Todos conocíamos esa clase de sopor, esa extraña respiración rítmica que se mantenía sin interrupción a pesar del traqueteo de las ruedas y de las inevitables sacudidas por causa de piedras y baches.

Las mujeres lo advirtieron, sin hacer preguntas y con más paciencia al parecer que mi tío Cleofás o mis hermanos menores, que habrían despertado a José con la mínima excusa.

—Dejadle descansar —dijo mi madre, y mi tía Esther ordenó a todos hacer lo mismo.

La mirada que vi en los ojos de mi madre era triste, como lo fue la noche en que recibimos la carta. Pero sobrellevaba su pena con entereza. Nada la sorprendía ni la alarmaba. Se sentaba al lado de José de vez en cuando, entre él y Cleofás, su hermano. Mecía a José contra su hombro. Le daba agua cuando él se desperezaba, pero en general impedía a los demás que lo espabilaran, cosa que hacían sobre todo para tranquilizarse comprobando que podía ser espabilado.

Una noche, José despertó y no supo dónde estábamos. No logramos hacerle entender que nos habíamos puesto en marcha hacia el Jordán con la intención de encontrar a Juan hijo de Zacarías y sus seguidores. Santiago llegó a sacar la carta arrugada para leérsela a la débil luz de una vela.

Finalmente, mi madre dijo:

—¿Crees que te llevaríamos a donde tú no quisieras ir? Nunca haríamos una cosa así. Ahora, duerme.

Entonces se conformó y cerró los ojos.

Santiago se alejó para que nadie le viera llorar. Era su padre, y nos estaba dejando. Oh, todos éramos hermanos, pero él era el padre de Santiago y lo había tenido con una esposa joven a la que ninguno de nosotros, a excepción de Alfeo y Cleofás, había conocido. Cuando era un niño pequeño, Santiago había estado junto al lecho de muerte de su madre, con José. Y ahora, muy pronto José se iría también.

Fui a colocarme cerca de Santiago, y cuando él quiso me indicó que me acercara más. Estaba tan inquieto como siempre, revolviéndose a un lado y otro.

—No tenía que haber insistido en que viniera.

—Pero si no lo hiciste —dije—; él quiso venir, y mañana cuando salga el sol... estaremos allí.

—Pero qué sentido tiene eso de que uno bautice a otro, que no baje uno al río a bañarse por su cuenta como siempre, sino que sea otro... ¿Y has visto los soldados?

Las noticias que corren de todo lo que está pasando enfurecerán a ese bobo gobernador, sabes muy bien que será así.

Lo que supe es que necesitaba todas aquellas preocupaciones para no enfrentarse a la otra, la de que José se estaba muriendo. De modo que no le dije nada. Y muy pronto se fue a discutir otra vez de lo mismo con Jasón, Rubén, Hananel, el rabino y el grupo más reciente de soldados del rey, varios de los cuales servían de escolta a los ricos que viajaban en literas de colores brillantes... Y yo me quedé atrás, contemplando la enorme multitud dispersa por aquel suelo pedregoso, y el cielo que se oscurecía en lo alto.

El aire cálido traía el suave aroma del río y los humedales verdes, y se oían los chillidos de los pájaros que siempre se reúnen en las cercanías del agua. Me gustaba y mi corazón cantaba también, pero al mismo tiempo sentía la misma tristeza que había percibido en mi madre. Era una sensación de ligereza y a la vez terrible: una especie de ambivalencia y asombro ante las cosas más pequeñas y triviales.

Algo estaba cambiando para siempre. Los niños, llamados ahora a acostarse, no percibían ese cambio, sólo la novedad y la aventura, como si se tratara de una excursión al mar grande.

Incluso mis hermanos se encontraban en un estado de euforia cansada, que ellos mismos se describían unos a otros como el deseo que tenían de confesarse, purificarse, incluso ser bautizados si insistía en ello Juan hijo de Zacarías, y regresar después a sus diversas ocupaciones, a este o aquel problema de su vida cotidiana, con energía renovada.

La conciencia que tenía yo de aquel momento era enteramente distinta. No quería apresurarme y tampoco quedarme atrás. No me preocupaba la distancia mayor o menor que había si tomábamos un camino u otro. Avanzaba despacio hacia lo que en definitiva significaba la separación de todo lo que me rodeaba. Lo sabía. Lo sabía sin saber cómo ni qué ocurriría en concreto. Y en el único lugar en que veía esa misma conciencia —y en cierta manera la misma aceptación—, era en la dulce mirada habitual de mi madre.

20

Era media mañana, bajo un cielo gris y desapacible, cuando llegamos al lugar de la reunión bautismal.

Ni siquiera el número de los nuestros nos había preparado para las dimensiones de aquella multitud extendida a lo largo de ambas orillas, hasta donde alcanzaba la vista, muchos de ellos instalados en tiendas ricamente decoradas y con vituallas dispuestas sobre sus alfombras, mientras otros eran vagabundos andrajosos que venían a codearse con los sacerdotes y los escribas.

Inválidos, mendigos, ancianos e incluso las mujeres pintarrajeadas de la calle formaban parte de aquel gentío, al que venían a sumarse todos los que habían llegado con nosotros.

Los soldados del rey estaban por todas partes, y reconocimos los uniformes de quienes servían aquí al rey Herodes Antipas, y los que servían al otro lado a su hermano Filipo, y alrededor de unos y otros a mujeres suntuosamente vestidas, rodeadas por sus sirvientes, o que simplemente asomaban la cabeza desde sus lujosas literas.

Cuando finalmente alcanzamos a ver al propio Juan, la multitud guardó silencio y los himnos que se cantaban a lo lejos quedaron como un simple fondo acústico. Hombres y mujeres se despojaban de sus ropajes exteriores y entraban en el agua sólo con sus túnicas, y algunos hombres se quitaban incluso éstas, y con sólo un paño sujeto a las caderas se acercaban a la silueta claramente visible de Juan, en medio de sus numerosos discípulos.

Por todas partes se oían los susurros confidenciales de quienes confesaban sus pecados y pedían perdón al Señor, entre murmullos lo bastante altos para que se oyera la voz pero no se distinguieran las palabras, mientras los ojos se cerraban y las ropas caían entre los juncos, y la gente se metía en el humedal y luego en el río.

Los discípulos de Juan lo flanqueaban a izquierda y derecha.

Él mismo era inconfundible. Alto, con el polvoriento pelo negro muy largo, cayendo sobre los hombros y la espalda, recibía a un peregrino tras otro; sus ojos oscuros brillaban a la luz gris de la mañana, y su voz profunda dominaba todo el rumor de voces que le rodeaba.

—Arrepentíos, porque el Reino de los Cielos está cerca —decía, como si cada vez fuera la primera, y quienes le rodeaban repetían la frase, hasta que pronto percibimos que sonaba como una salmodia que variaba de timbre y tono en ciertos momentos, al azar de las incesantes confesiones.

Jasón y los jóvenes se quedaron atrás, cruzados de brazos, observando. Pero uno a uno mis hermanos bajaron, se quitaron sus ropas y entraron en el agua.

Vi a Santiago sumergirse en la corriente y emerger despacio mientras Juan, sin que su rostro cambiara lo más mínimo por el presumible reconocimiento, derramaba el agua de una concha sobre su cabeza.

Josías, Judas y Simón se acercaron a los discípulos, y

con ellos fueron sus hijos y sobrinos. Menahim llevaba de la mano a Isaac el Menor, muy pegado a él porque al parecer le asustaban el suelo esponjoso y los densos juncales, y el mismo río a pesar de que su profundidad no pasaba de las rodillas de alguien de pie.

Una tienda sostenida por cuatro postes decorados se abrió sonoramente al viento cuando las nubes grises se apartaron para dar paso a un sol radiante. Salió de ella un rico recaudador de impuestos, un hombre al que sólo conocía de mis viajes para trabajar o visitar Cafarnaum.

Se colocó a mi lado y observó la masa móvil de los bautizantes y los bautizados; el grosor de aquella multitud parecía hincharse y crecer a derecha e izquierda mientras la observábamos.

De entre la gente situada detrás de nosotros, abriéndose paso a codazos para avanzar, salió un fariseo ricamente vestido y con una larga barba blanca, acompañado por dos hombres pertenecientes a la clase sacerdotal, a juzgar por sus finas vestiduras de lino.

—¿Con qué autoridad haces esto? —preguntó el fariseo de la barba blanca—. Vamos, Juan hijo de Zacarías. Si no eres Elías, ¿por qué convocas aquí a la gente para el perdón de sus pecados? ¿Quiénes son tus discípulos?

Juan se detuvo y levantó la mirada.

El sol que asomaba detrás de las nubes grises obligó a Juan a entornar los ojos para ver mejor al hombre que se le enfrentaba. Su mirada se detuvo un momento en mí y en el recaudador de impuestos.

De nuevo habló el fariseo:

—¿Con qué autoridad te atreves a traer a estas gentes aquí?

—¿Traer? ¡Yo no los he traído! —respondió Juan. Su voz dominaba sin esfuerzo el tumulto de los reunidos.

Retenía su aliento como una persona acostumbrada a hablar por encima de los ruidos o del viento.

—Os lo he dicho. No soy Elías. No soy el Cristo. ¡Os he dicho que quien llega después de mí está delante de mí!

Parecía ganar fuerzas mientras hablaba. Los discípulos seguían bautizando a los peregrinos.

Vi a Abigail entrar en el río totalmente vestida. Y el joven que le indicaba por señas que había de arrodillarse en el agua era mi primo Juan hijo de Zebedeo. Estaba allí, con sus ropajes mojados pegados al cuerpo, el cabello largo y sin peinar, un muchacho de apenas veinte años arrimado al hombre que gritaba ahora a todo el que quisiera escucharle:

—¡Os repito que sois una raza de víboras! Y no penséis que estáis a salvo declarándoos hijos de Abraham. Os digo que el Señor puede hacer crecer hijos de Abraham de estas mismas piedras. En este mismo momento, el hacha está ya cortando el árbol de raíz. ¡Los árboles que no dan buen fruto serán derribados, y arrojados al fuego!

En todas partes, la multitud miraba de reojo a los rabinos y sacerdotes que se adelantaban al oír las voces de Juan.

Jasón le gritó:

—¡Juan, dinos de dónde te viene la autoridad para decirnos esas cosas! Es lo que quiere saber esta gente.

Juan miró en su dirección, pero no pareció reconocerlo, o no más de lo que reconocía a cualquier otro hombre en particular, y contestó:

—¿No os lo he dicho? Os lo repetiré. Yo soy la voz que clama en el desierto, para preparar el camino al Señor, para facilitar su paso. Por todos los barrancos bajará el agua, y las montañas y colinas se allanarán; los lisiados caminarán erguidos y los caminos tortuosos serán rectos... ¡y todos los que son de carne y hueso verán la salvación de Dios!

Pareció que incluso quienes se encontraban en los límites más lejanos de aquella multitud le oían. Se alzó un clamor de voces que daban gracias, y más y más personas entraron en el río. Jasón y Rubén bajaron también al río.

Vi que Juan subía por la orilla, con su largo cabello lacio todavía empapado, para acercarse a José, que trataba de caminar sostenido por Santiago y mi madre.

El recaudador de impuestos contemplaba el descenso al río del anciano.

Juan recibió él mismo a José, pero de nuevo no vi en sus ojos ningún signo de que reconociera al hombre y a la mujer que tenía delante. Entraron en el río como todos los demás; y él vertió sobre sus cabezas el agua de su concha.

De nuevo lo llamaron a gritos desde la multitud. Esta vez era Shemayah, que empezó a gritar de repente como si no pudiera contenerse:

—¡Qué hemos de hacer entonces!

—¿Tengo que decíroslo? —respondió Juan. Se echó atrás y de nuevo alzó la voz con la facilidad aparente de un orador—. Aquel de entre vosotros que posea dos túnicas, que las comparta con el que no tiene ninguna; y los que tenéis comida en abundancia, habéis de darla a los que pasan hambre.

De pronto fue el joven recaudador de impuestos que estaba a mi lado quien gritó:

—¡Maestro!, ¿qué hemos de hacer nosotros?

La gente volvió la cabeza para ver quién hacía aquella pregunta encendida, que parecía salir directamente de su corazón.

—Ah, no recaudéis más de lo que se os ha ordenado recaudar —respondió Juan. Una amplia oleada de murmullos aprobadores se alzó de las personas que estaban en las orillas. El recaudador asintió con la cabeza.

Pero ahora eran los soldados del rey los que se adelantaban:

—¡Y qué has de decirnos a nosotros, maestro! —gritó uno—. ¡Dinos qué podemos hacer!

Juan les miró, entornando otra vez los ojos para evitar los rayos del sol que se filtraban entre las nubes.

—No toméis dinero por la fuerza, eso podéis hacer. Y no acuséis a nadie en falso, y conformaos con vuestra paga.

De nuevo hubo cabezadas de asentimiento y murmullos de aprobación.

—Yo os digo que El que viene detrás de mí tiene ya en Sus manos el cedazo con que va a separar en la era el grano que guardará en el troje y la paja que arrojará para que arda en el fuego eterno.

Muchos que antes no se habían movido se acercaron ahora al río, pero en ese momento una gran conmoción agitó a la multitud. La gente se volvía a mirar, y se oían gritos de asombro.

Hacia la derecha y por encima de donde estaba yo, apareció en la ladera un nutrido grupo de soldados, y en medio de ellos una figura reconocible, que hizo que todos callaran cuando se aproximó a la orilla del río. Los soldados barrieron la hierba para que él la pisara, y cuando se apeó sostuvieron en alto los bordes de su largo manto púrpura.

Era Herodes Antipas. Nunca lo había visto tan de cerca: era un hombre alto, impresionante, pero su mirada era dócil cuando contempló maravillado al hombre que bautizaba en medio del río.

—¡Juan hijo de Zacarías! —gritó el rey. Un silencio

incómodo cayó rápidamente sobre todos los que le veían y habían oído su voz.

Juan levantó la mirada. De nuevo entornó los ojos. Luego alzó la mano para protegerlos.

—¿Qué debo hacer yo? —gritó el rey—. Dime, ¿cómo puedo arrepentirme? —Su rostro estaba tenso y grave, pero no había burla en él, sólo una intensa concentración.

Juan tardó unos instantes en responder, y entonces lo hizo con voz fuerte.

—Deja a la esposa de tu hermano. No es tu esposa. ¡Ya conoces la Ley! ¿No eres judío?

La multitud se estremeció. Los soldados se arrimaron más al rey como si anticiparan una orden, pero el propio rey estaba inmóvil y se limitaba a observar a Juan, que ahora se había acercado otra vez a mi querido José y lo sostenía por los hombros para ayudarle a salir del agua.

El recaudador de impuestos se dirigió hacia el grupo que formaban mi madre y Santiago, con intención de ayudarlos. Luego se desprendió de su rico manto, lo dejó caer entre los juncos como cualquier prenda de lana, y fue a ponerse de rodillas delante de Juan como habían hecho antes todos los demás.

José miraba al recaudador, que sumergió su cabeza, la levantó de nuevo y se secó el agua que le corría por la cara. De sus relucientes cabellos untados con óleo caían gruesos goterones.

El rey permaneció impasible ante la escena y luego, sin pronunciar palabra, dio media vuelta y desapareció entre las filas de sus soldados. Todo el grupo, con el sol arrancando reflejos de las puntas doradas de las lanzas y los escudos redondos, desapareció de la vista como tragado por los nuevos peregrinos que iban llegando.

Docenas de hombres y mujeres entraron en el agua.

Vi que José me miraba, con ojos vivaces y su expresión familiar.

Bajé al río. Pasé al lado de José y mi madre, y del recaudador de impuestos que sujetaba por el codo a José, listo para ayudarlo debido a su edad, aunque ya estaba allí Santiago para hacerlo.

Me coloqué frente a Juan hijo de Zacarías.

Siempre suelo llevar la vista baja. En las ocasiones en que a lo largo de mi vida me han siseado o insultado, casi nunca desafío con la mirada a quien lo hace, y prefiero volverme a otra parte y seguir con mi trabajo como si no pasara nada. Mi actitud suele ser tranquila.

Pero en esta ocasión no me comporté así. Mi actitud ya no era ésa. Había cambiado.

Él se quedó mirándome, inmóvil. Yo contemplé su aspecto tosco, la maraña de vello pectoral, la oscura piel de camello que apenas le cubría. Sus ojos estaban fijos en los míos.

No había expresión en sus ojos, como inevitable defensa contra una multitud de rostros, una multitud de miradas, una multitud de expectativas.

Pero mientras nos mirábamos —él, ligeramente más alto que yo—, sus ojos se suavizaron. Perdieron su rigidez y distanciamiento. Le oí respirar más aprisa.

Hubo un ruido como de batir de alas, suave pero prolongado, como palomas asustadas en el palomar, forcejeando todas para levantar el vuelo.

Él miró hacia arriba, a izquierda y derecha, y luego volvió a mirarme.

No había descubierto el origen de aquel ruido.

Me dirigí a él en hebreo:

—Johanan bar Zechariah —dije.

Abrió unos ojos como platos.

—Yeshua bar Yosef —dijo.

El recaudador de impuestos se acercó a mirar y escuchar. Podía ver vagamente las siluetas cercanas de mi madre y José. Noté que otras personas se volvían y se acercaban despacio a nosotros.

—¡Eres tú! —susurró Juan—. ¡Tú... has de bautizarme!

Me tendió la concha, aún chorreando agua.

Los discípulos situados a su derecha e izquierda se detuvieron de pronto. Quienes salían en ese momento del agua se quedaron quietos, atentos. Algo había cambiado en el hombre santo. ¿Qué era?

Sentí la multitud entera como un gran organismo vivo que respiraba con nosotros.

Levanté las manos.

—Estamos hechos a Su imagen, tú y yo —dije—. Esto es carne, ¿no? ¿No soy un hombre, acaso? Bautízame como has hecho con los demás; hazlo, en nombre de la rectitud.

Me sumergí en el agua. Sentí su mano en mi hombro izquierdo, sus dedos junto a mi cuello. No vi, ni sentí ni oí nada más, salvo la corriente de agua fría, y luego muy despacio emergí y permanecí de pie, deslumbrado por el resplandor solar.

Las nubes se habían apartado. Mis oídos captaron un ruidoso batir de alas. Miré al frente y vi en el rostro de Juan la sombra de una paloma que ascendía, y entonces vi al pájaro subir hacia una gran abertura de cielo azul, y junto a mis oídos escuché un murmullo que apagó el ruido de alas, como si unos labios hubieran rozado mis dos oídos al mismo tiempo, y por débil que fuera, por suave y secreto que fuera aquel murmullo, pareció despertar un eco inmenso.

«Éste es mi Hijo, mi muy amado.»

Las riberas del río quedaron en silencio.

Luego, el ruido. El viejo ruido familiar. Gritos, lloros, exclamaciones, los sonidos tan asociados en mi mente y mi alma a la lapidación de Yitra y al tumulto en torno a Abigail —el ruido de hombres jóvenes exultantes, el inacabable lamento quebrado de los peregrinos—, todo lo oía a mi alrededor, los gritos excitados y los llantos de voces que se mezclaban, que crecían y crecían en volumen a medida que se confundían entre ellas.

Alcé la vista al amplio e interminable espacio azul y vi la paloma volar arriba y más arriba. Se convirtió en un punto diminuto, apenas una mota bañada en el resplandor solar.

Me tambaleé y estuve a punto de perder el equilibrio. Miré a José. Vi sus ojos grises fijos en mí, vi su ligera sonrisa, y en el mismo instante vi el rostro de mi madre, inexpresivo y sin embargo un poco triste, al lado de su esposo.

—¡Eres tú! —dijo de nuevo Juan hijo de Zacarías.

No contesté.

El murmullo de la multitud creció.

Me volví y subí a la orilla más lejana, cruzando entre los juncos, más y más deprisa. Me detuve una vez a mirar atrás. Vi otra vez a José, sostenido con cariño por el recaudador de impuestos, que me miraba atónito. El rostro de José parecía despierto y apenado, y me hacía gestos de adiós desde la distancia que nos separaba. Vi a mis hermanos, vi allí a todos mis parientes, a Shemayah, a Abigail, e incluso la pequeña figura de Ana la Muda.

Los vi a todos de una forma especial: la limpia inocencia de los más viejos, con ojos brillantes bajo los pesados pliegues de la piel; el súbito sobresalto de los adultos, dubitativos aún entre la condena y el asombro; la excitación de los niños, que pedían a sus padres que les explicaran qué había ocurrido... Y mezclados con todos ellos, los atareados, los aludidos, los aburridos, los confusos, todos y cada uno hablando entre ellos.

Nunca los había visto a todos juntos de esa manera, cada cual con sus propios problemas pero unido al de su izquierda y al de su derecha, y todos sujetos a un movimiento común, como si en vez de pisar la arena estuvieran en alta mar, mecidos por las olas.

Me volví a mirar a Juan, que a su vez se volvió a mirarme a mí. Abrió la boca para hablar, pero no dijo nada.

Me alejé de él. Durante un segundo, el sol que se filtraba entre las ramas de un árbol inclinado me sobrecogió. Si los árboles y las hojas de hierba pudieran hablar, me habrían hablado en ese momento.

Y me estaban hablando del silencio.

Seguí caminando, con la mente ocupada sólo en el sonido de mis pies al avanzar entre los juncos y el barro, y luego sobre el suelo seco y pedregoso, siempre adelante, hollando con mis sandalias el camino, y cuando ya no hubo camino, la tierra desnuda.

Ahora tenía que estar solo, ir adonde nadie pudiera encontrarme ni hacerme preguntas. Necesitaba buscar la soledad que toda mi vida me había sido negada.

Tenía que buscar, más allá de las aldeas, las ciudades o los campamentos. Tenía que buscar donde no había nada sino arena ardiente, y vientos huracanados, y los riscos más altos de la tierra. Tenía que averiguar si existía la nada y si la nada no contenía nada... si era ella la que me tenía sujeto en la palma de su mano.

21

Voces que no paran.

Había pasado días atrás el último lugar habitado. Allí bebí mis últimos tragos de agua.

No sabía dónde estaba ahora, sólo que hacía frío y el único sonido real era el aullido del viento que barría el uadi. Me aferré al risco y empecé a trepar. La luz diurna se extinguía muy deprisa. Por eso el frío era tan intenso.

Y las voces no paraban; todas las discusiones, todos los cálculos, todas las predicaciones, todas las ponderaciones, y así sucesivamente.

Cuanto más cansado me sentía, con más fuerza las oía.

Me tendí en una pequeña cueva, al resguardo de la mordedura del viento, y me envolví en el manto. La sed había desaparecido y el hambre se había evaporado. Eso quería decir que habían pasado muchos días, porque son cosas que torturan durante varios días hasta que cesan de hacerlo. Con la cabeza ligera, vacío, ansiaba todas las cosas y ninguna. Tenía los labios agrietados y la piel quebradiza. Mis manos estaban en carne viva; los ojos me dolían, tanto abiertos como cerrados.

Pero las voces no paraban, y poco a poco, arrastrándome y rodando sobre mi espalda, me acerqué a la entrada de la cueva y miré más allá, hacia las estrellas. Tal como había hecho siempre, admiré su nítida claridad dispersa sobre la extensión arenosa, esa cualidad que llamamos magnificencia.

Y entonces acudieron los recuerdos y expulsaron el runrún de las voces de censura; los recuerdos de cada cosa que había hecho alguna vez en ésta mi existencia terrena.

No era una secuencia. No seguía el orden de las palabras escritas en un pergamino de un lado de la columna al otro, y luego otra vez, y otra. Era como algo que se despliega.

Y en la densidad de aquellos recuerdos destacaban los momentos de dolor: la pérdida, el miedo, el arrepentimiento, la queja, la incomodidad, el inesperado tormento.

El dolor, como las propias estrellas, tiene en cada momento su propia forma infinitesimal y su magnitud. Todos aquellos recuerdos se alzaban a mi alrededor como si compusieran una gran guirnalda que era mi vida, una guirnalda que iba envolviéndome en sus giros una y otra vez, por encima y por debajo de mí, hasta ajustarse como una segunda piel, sin resquicios.

A veces, antes del amanecer, comprendía alguna cosa: que podía sin esfuerzo retener cualquiera de aquellos momentos y todos ellos a la vez en mi mente, que aquellas pequeñas e incontables agonías coexistían.

Cuando llegaba la mañana y el viento furioso moría con la luz, empezaba a caminar y dejaba que vinieran a mí aquellos momentos incontables, dejaba mi mente moverse entre ellos con mis propios ojos y mi propio corazón, como la arena que me quemaba los ojos y los labios. Y seguía recordando.

Por la noche me despertaba. ¿Era mi voz la que recitaba lo que está escrito?: «Y todos los secretos serán conocidos, y a todos los lugares oscuros llegará la luz.»

«Dios querido, no, no dejes que sepan esto, no dejes que conozcan la gran acumulación de todas estas cosas, la agonía y el gozo, la miseria, el solaz, la consecución, el dolor de la amputación, el...»

Pero lo sabrán, todos y cada uno de ellos lo sabrán. Lo sabrán porque lo que recuerdas es lo que les ha ocurrido a todos y cada uno de ellos. ¿Creías que esto era más o menos cosa tuya? ¿Creías...?

Y cuando sean llamados a rendir cuentas, cuando se presenten desnudos delante de Dios y cada incidente y cada palabra sean pesados en la balanza del juicio... tú, ¡tú lo sabrás todo de todos y cada uno de ellos!

Me arrodillé en la arena.

¿Es posible, Señor, estar con cada uno cuando a él o a ella le llegue el conocimiento? ¿Estar allí en cada grito de angustia? ¿En el recuerdo corroído por la culpa de cada placer incompleto?

Oh, Dios, ¿qué es el juicio y cómo puede llevarse a cabo, si no puedo soportar estar al lado de todos ellos en cada palabra insultante, en cada grito bronco y desesperado, en cada gesto escrutado, en cada acto explorado hasta sus raíces más recónditas? Y he visto actos, los actos de mi propia vida, los casos más mínimos, más triviales, los he visto primero germinar como semillas diminutas, y luego brotar y extender sus ramas; los he visto crecer, enredarse con otros actos, y todos juntos formar un matorral y luego un bosque y finalmente una gran jungla salvaje que reduce el mundo a la escala de un mapa, el mundo como lo concebimos en nuestra mente. Dios querido, al lado de eso, de ese interminable brotar de actos que provienen de otros actos y de palabras que derivan de otras palabras y pensamientos de otros pensamientos, el mundo no es nada. ¡Cada alma particular es un mundo!

Empecé a llorar. Pero no quise apartar de mí aquella visión; no, dejadme ver, ver a todos los que lanzaron las piedras, y a mí todas las veces que cometí errores, y la cara de Santiago cuando le dije «Estoy cansado de ti, hermano», y a partir de ese instante brotan un millón de ecos de esas mismas palabras en todos los presentes que las escuchan o piensan que las han escuchado, y que las recordarán, repetirán, criticarán, defenderán... y así sucesivamente para el levantamiento de un dedo, la botadura de un barco, la derrota de un ejército en un bosque del norte, el incendio voraz de una ciudad en llamas. Dios querido, yo no puedo... pero lo haré, lo haré.

Sollocé en voz alta. Oh Padre que estás en los cielos, te estoy tocando con mis manos de carne y sangre. ¡Ansío Tu perfección, con este corazón que es imperfecto! Y llego a tocarte con lo que se está corrompiendo delante de mis propios ojos, y contemplo tus astros desde el interior de la prisión de este cuerpo, que no es mi prisión sino mi voluntad. Hágase tu Voluntad.

Me derrumbé, sacudido por los sollozos.

Y descenderé, acompañaré a cada uno de ellos hasta las profundidades del Sheol, a las tinieblas privadas de cada persona, a la angustia expuesta ante los ojos de todos o sólo ante los tuyos, al interior del miedo, al interior del fuego atizado por el calor de todos los pensamientos. Estaré al lado de todos ellos, junto a cada solitario situado en medio de ellos. ¡Soy uno de ellos! ¡Y soy tu Hijo! ¡Soy tu Hijo unigénito! Y conducido a este lugar por tu Espíritu, lloro porque no puedo hacer otra cosa que aceptarlo, que aceptar lo que no puedo comprender con esta mente de carne y sangre; y porque Tú me has abandonado aquí, lloro.

Lloré. Lloré y lloré. Señor, déjame este corto rato para poder llorar, porque he oído que las lágrimas consiguen muchas cosas...

¿Solo? ¿Decías que deseabas estar solo? ¿Querías esto, estar solo? ¿Querías el silencio? Querías estar solo y en silencio. ¿No comprendes ahora la tentación que representa estar solo? Estás solo. ¡Y bien, estás absolutamente solo porque tú eres el único que puede hacer una cosa así!

¿Qué juicio puede haber para un hombre, una mujer o un niño, si no estoy yo allí en cada latido de su corazón y en lo más profundo de su tormento?

Llegó el alba.

Y el alba volvió otra vez, y otra.

Yo permanecía acurrucado en el suelo, y el viento proyectaba la arena contra mi rostro.

Y la voz del Señor no estaba en el viento, y no estaba en la arena, y no estaba en el sol, y no estaba en las estrellas.

Estaba dentro de mí.

Siempre he sabido quién era yo en realidad. Yo era Dios. Y elegí no saberlo. Pues bien, entonces supe qué significaba exactamente ser el hombre que sabía que era Dios.

22

Cuarenta días y cuarenta noches. Es el tiempo que permaneció Moisés en la cumbre del Sinaí.

Es el tiempo que esperó Elías hasta que el Señor habló con él.

—Señor, lo he hecho —murmuré—. Sé también lo que esperan ellos de mí. Lo sé muy bien.

Mis sandalias se caían a pedazos. Hice más nudos en las correas de los que podía contar. La vista de mis manos quemadas por el sol me incomodaba, pero en mi interior reía. Volvía a casa.

Montaña abajo, hacia el desierto reverberante que se extendía entre mí y el río que aún no podía ver.

—Solo, solo, solo —cantaba.

Nunca había sentido tanta hambre. Nunca había sentido tanta sed. Despertaron como en respuesta a una decisión mía.

—Oh sí, cuántas veces lo deseé fervientemente —canté para mí mismo—. Estar solo.

Y ahora estaba solo, sin pan, sin agua, sin un lugar donde reposar mi cabeza.

—¿Solo?

Era una voz. Una voz familiar, la voz de un hombre familiar por su timbre y su tono.

Me di la vuelta.

El sol estaba a mi espalda, de modo que la luz no me hirió los ojos y lo iluminó con toda claridad.

Era más o menos de mi estatura e iba vestido con elegancia, con prendas más hermosas y ricas incluso que las de Rubén de Caná o Jasón... más parecidas al atuendo del rey. Llevaba una túnica de lino con una orla bordada de hojas verdes y flores rojas, y cada capullo relucía recamado en hilo de oro. La orla de su manto blanco era de un brocado todavía más ancho y más rico, hilado como los mantos de los sacerdotes, con flecos de los que colgaban pequeños cascabeles de oro. Las sandalias llevaban hebillas metálicas relucientes. Y ceñía su cintura con un grueso cinturón de cuero tachonado con clavos de bronce, como el de un soldado. Y también colgaba a su costado una espada en su vaina adornada con incrustaciones de joyas.

El cabello era largo y lustroso, de un bello tono castaño oscuro. Y del mismo color eran sus ojos risueños.

—Mi pequeña broma no te ha divertido —dijo cortés, con una graciosa reverencia.

—¿Tu broma?

—Nunca te miras en un espejo. ¿No reconoces tu propia imagen?

La alarma sacudió mi rostro y luego toda mi piel. Era mi duplicado, excepto por el hecho de que yo nunca me había vestido de esa manera.

Dio un pequeño giro sobre sí mismo en la arena, de modo que yo pudiera percibir mejor su atuendo. Me fascinó la expresión —o la falta de expresión— de sus grandes ojos entornados.

—¿No crees —me empezó a decir— que tengo cierta obligación de recordarte lo que eres? Ya ves, me he enterado de tu manía particular. Tú no te consideras a ti mismo un simple profeta o un santón como tu primo Juan. Tú crees ser el Señor en persona.

No contesté.

—Oh, ya sé. Tenías intención de mantenerlo en secreto, y muchas veces consigues ocultar bastante bien lo que piensas, o al menos así me lo parece. ¿Pero aquí, en este desierto? Sabes, con frecuencia sueles hablar en voz alta.

Se acercó más, y alzó el borde de su manga para que yo admirara mejor el brocado, las hojas puntiagudas, las flores carmesí.

—Por supuesto no quieres hablar conmigo, ¿no es así? —dijo con una ligera mueca despectiva. Se parecía a mí cuando me hacía el desdeñoso. Si alguna vez me lo había hecho.

»Pero sé que tienes hambre, un hambre horrorosa. Tanta hambre que estarías dispuesto a comer cualquier cosa. Lo cierto es que ya estás devorando tu propia carne y tu propia sangre.

Me di la vuelta y empecé a alejarme.

—Ahora, si eres un santo de Dios —dijo, y se colocó sin esfuerzo a mi lado y caminó a la par conmigo, mirándome a los ojos cuando yo volvía la vista hacia él—, y olvidemos por el momento esa manía tuya de creerte el Creador del Universo, en ese caso sin duda podrás convertir estas piedras, cualquiera de las que hay por aquí, en pan caliente.

Me detuve y percibí el inconfundible aroma del pan caliente. Podía sentirlo en mi boca.

—Eso no habría sido un problema para Elías —dijo—, ni para Moisés, por descontado. Y tú aseguras ser un santo de Dios, ¿no es así? ¿El Hijo de Dios? ¿Su Hijo muy amado? Bueno, hazlo. Convierte las piedras en pan.

Miré las piedras un momento, y luego volví a caminar.

—Muy bien, pues —dijo, y al caminar para mantenerse a mi lado tintinearon con suavidad los cascabeles de su manto—. Aceptemos como cierta tu manía. Eres Dios. Ahora bien, según tu primo, Dios puede convertir estas piedras en hijos de Abraham, estas piedras o cualquier otra piedra, ¿no? Pues entonces, convierte estas piedras en pan. Lo necesitas con bastante urgencia, ¿verdad?

Me volví hacia él y me eché a reír.

—«No sólo de pan vive el hombre —le contesté—, sino de todo lo que sale de la boca de Dios.»

—Ésa es una traducción literal bastante deficiente —me dijo con un suave meneo de su cabeza—, y si me permites indicártelo, mi piadoso y engañado amigo, tus vestidos no se han conservado durante estos cuarenta días tan bien como los de tus antepasados durante los cuarenta años que erraron en el desierto, y ahora mismo tienes el aspecto de un mendigo andrajoso que muy pronto va a quedarse descalzo.

Volví a reír.

—No importa —dije—. Yo sigo mi camino.

—Muy bien —repuso él cuando me puse de nuevo en marcha—, pero es demasiado tarde para que entierres a tu padre. Ya lo está.

Me detuve.

—¡Oh, vamos, no me digas que el profeta cuyo nacimiento estuvo acompañado por tantas señales y maravillas no sabe que su padre, José, ha muerto!

No contesté. Sentí un nudo en el corazón y procuré reprimir mis lágrimas. Miré la extensión arenosa.

—Dado que al parecer eres como mucho un profeta a

tiempo parcial —prosiguió con la misma voz tranquila, mi voz—, déjame describirte la escena. Fue en la tienda de un recaudador de impuestos donde exhaló su último suspiro, y entre los brazos de ese recaudador, imagínatelo, aunque su hijo estaba sentado a su lado y tu madre le lloraba. ¿Y sabes cómo pasó sus últimas horas? Contando al recaudador de impuestos y a todo el que quería escucharle lo que podía recordar de tu nacimiento... Bueno, ya sabes, la vieja canción del ángel que se apareció a tu pobre madre aterrorizada, y el trabajoso viaje a Belén para que tú pudieras llegar berreando a este mundo en plena tormenta, y después la visita de ángeles de las alturas a unos pastores, entre todos los hombres posibles. Y esos potentados, los Magos; también le habló al recaudador de impuestos de su venida. Y luego murió, en pleno desvarío, podría decirse, aunque de forma muy apacible.

Bajé la mirada al suelo desértico. ¿Estaría aún muy lejos el río?

—¡Lloras! ¡Vaya, fíjate, estás llorando! —dijo—. No me esperaba una cosa así. Esperaba que te avergonzaras de que un varón tan justo haya muerto en brazos de un ladrón respetable, pero esas lágrimas me desconciertan. Después de todo, tú te largaste y dejaste que el viejo se las arreglara solo en mitad del río, ¿no es así?

No respondí.

Él se puso a silbar entre dientes una tonadilla como las que uno puede silbar o tararear mientras camina, y en efecto, dio toda una vuelta caminando a mi alrededor mientras yo seguía sin moverme.

—Bueno —dijo tras pararse frente a mí—. Eres un hombre de corazón tierno, ya es algo para empezar. ¿Pero un profeta? No lo creo. En cuanto a esa manía de que tú has creado el mundo entero, vaya, déjame recordarte lo que sin duda ya sabes: una pretensión parecida me costó a mí el puesto que ocupaba allá arriba, en la corte celestial.

—Me parece que lo embelleces demasiado —dije. Mi voz estaba aún cargada de lágrimas, pero las secaba el viento abrasador del desierto.

—Ah, ahora me hablas sin citar las Escrituras, con tus mismas palabras. —Rio, una imitación perfecta de mi risa anterior, y me dirigió una sonrisa cálida, casi hermosa.

»¿Sabes?, los santos casi nunca me dirigen la palabra. Escriben larguísimos poemas campanudos en los que yo salgo hablando con el Señor de la Creación y Él hablando conmigo, pero ¿ellos mismos, los escribas? En cuanto oyen mencionar mi nombre, gritan y salen corriendo despavoridos.

—Y a ti te gusta que se mencione tu nombre, ¿verdad? Sea cual sea el nombre. —Empecé a enumerar despacio—: Ahrimán, Mastema, Satanel, Satán, Lucifer... ¿Te gusta, verdad, que te invoquen?

Guardó silencio.

—Belcebú —dije—. ¿Es ése tu nombre favorito? —Y añadí en griego—: Señor de las Moscas.

—¡Odio ese nombre! —dijo con un espasmo de rabia—. No respondo a ninguno de esos nombres.

—Claro que no. ¿Qué nombre podría rescatarte del caos que es tu objetivo real? —repliqué—. Demonio, diablo, enemigo. —Negué con la cabeza—. No, no respondes a ellos. Tampoco respondes al nombre de Azazel. Los nombres son aquello en lo que sueñas, nombres y propósitos y esperanzas, y tú no tienes ninguna de esas cosas.

Me volví y seguí caminando.

Él me siguió.

—¿Por qué me hablas? —preguntó encolerizado.

—¿Por qué me hablas tú a mí?

—Señales y maravillas —dijo, las mejillas encendidas por la sangre que se le agolpaba, salvo que lo simulase—. Demasiadas señales y maravillas te rodean, mi miserable amigo andrajoso. Y ya te he hablado antes. Llegué una vez hasta ti en sueños.

—Lo recuerdo. Y elegiste también el disfraz de la belleza. Debe de ser algo que ansías con desesperación.

—No sabes nada de mí. ¡No tienes ni idea! Yo fui el primogénito del Señor al que tú llamas Padre, miserable mendigo.

—Ten cuidado. Si te enfureces demasiado, podrías desaparecer en una nubecilla de humo.

—Esto no son bromas, aprendiz de profeta —dijo—. Yo no aparezco y desaparezco por capricho.

—Desaparece por capricho —repuse—. Eso será suficiente.

—¿De verdad no sabes quién soy? —Su cara se deformó de súbito por un dolor profundo—. Muy bien, te lo diré. —Y en hebreo pronunció las palabras—: Helel ben-Shahar.

—Luz brillante de la mañana —dije. Levanté la mano derecha y chasqueé los dedos—. Te he visto caer... así.

Un rugido terrorífico me rodeó, y la arena salió volando como si estuviéramos en medio de una tormenta en lugar de a la plácida luz del sol, y a punto estuvo de despeñarme desde lo alto del risco.

Me sentí llevado en volandas a gran velocidad y de pronto me rodeó otro rugido, más familiar e inmenso, y mis pies se posaron en el borde del parapeto del Templo, del Templo de Jerusalén, bajo la inmensa bóveda celeste y por encima de la enorme multitud de personas que entraban y salían de aquel lugar. Yo estaba de pie en el pináculo y veía, allá abajo, a todos los que recorrían los amplios patios interiores.

Los ruidos y los olores de la muchedumbre llegaban hasta mí. Sentí el dolor agudo de las punzadas del hambre. Y por todas partes se extendían los techos de Jerusalén, mientras la gente hormigueaba en el laberinto de sus estrechas callejuelas.

—Mira todo esto —dijo él, a mi lado.

—¿Por qué habría de mirar? —repliqué—. No estamos allí en realidad.

—¿No? ¿Crees que no? ¿Crees que es una ilusión?

—Tú estás lleno de ilusiones y engaños.

—Entonces tírate abajo, ahora, desde esta altura. Déjate caer sobre esa muchedumbre. Veremos si es una ilusión. Y si no lo es, ¿qué? ¿Acaso no está escrito?: «Él hará que sus ángeles cuiden de ti, y con sus manos te sostendrán, para que ni siquiera un dedo del pie te golpees contra una piedra.»

—Oh, tú has sido un asesino desde el principio —le dije—. Te encantaría verme caer ahí abajo, ver cómo se rompen mis huesos, ver esta cara que tan bien imitas ensangrentada y hecha pedazos. Pero quieres más todavía, ¿no es así? El cuerpo no significa nada para ti, por mucho tormento despiadado que le des. Lo que quieres es mi alma.

—No, estás equivocado —dijo en voz baja, inclinándose hacia mí tanto como pudo—. Y estamos aquí, sí, te he traído a este lugar, sin ilusiones ni engaños, para mostrarte dónde has de empezar tu trabajo. Eres tú quien asegura ser el Cristo. Eres tú a quien anuncian otros como el Hijo de David, el príncipe que conducirá a su pueblo a la victoria final, sois tú y tu pueblo quienes habéis celebrado tu inmenso poder y tu eventual conquista en un libro tras otro, en un poema tras otro. ¡Lánzate al vacío!, te digo.

Hazlo y deja que los ángeles te sostengan. ¡Deja que tu batalla empiece con ese pacto entre tú y el Señor al que aseguras servir!

—No voy a poner al Señor a prueba aquí —dije—. Y también está escrito: «No tentarás al Señor tu Dios.»

—¿Cuándo, entonces, vas a empezar la batalla? —preguntó como si de verdad deseara saberlo—. ¿Cómo reclutarás tus ejércitos? ¿Cómo difundirás tu mensaje entre todos los judíos de esta tierra, y de la siguiente, y de la que sigue a la siguiente? ¿Cómo harás saber a las comunidades de judíos de los rincones más alejados del Imperio que ha llegado el momento de empuñar la espada y el escudo y formar bajo tus banderas en el nombre de tu Dios?

—Lo sabía ya cuando era niño —dije mirándole.

—¿Qué sabías?

—Que eres el Señor de las Moscas, pero estás a merced del Tiempo. No sabes lo que va a ocurrir en el Tiempo.

—Bueno, si eso es verdad, entonces la mitad de las veces tú no vales más que yo, porque tampoco lo sabes, y esos gusanos que hay allá abajo y a los que llamas hermanos y hermanas no son nada, porque no saben ni siquiera lo que va a ocurrir en el instante siguiente. Por lo menos tú tienes visiones y planes.

Me agarró como si tomara posesión de mí, y una mueca de malevolencia le desencajó el rostro.

—¿Qué has sabido tú del Tiempo en esos años aburridos que has desperdiciado en Nazaret? ¿Que llegará el momento en que entregarás al polvo tus músculos doloridos, toda tu persona? ¿Por qué lo toleras? ¿Por qué lo tolera Él? Tú dices conocer Su voluntad. Dime, ¿por qué no lo suprime?

—¿Suprimir el Tiempo? —pregunté con un hilo de voz—. ¿El regalo del Tiempo?

—¿Regalo? ¿Es un regalo estar perdido en este mundo miserable que Él ha creado, perdido para la despiadada ignorancia de los otros, en el Tiempo?

—Ah, sí que conoces una cosa, y es la desgracia.

—¿Yo? ¿Yo conozco la desgracia? ¿No conocen ellos la desgracia, día a día, y no la has conocido tú al lado de ellos? ¿Crees que esa vida y el Tiempo fueron un regalo para ese chico, Yitra, al que apedrearon tus aldeanos? Sabes que era inocente, ¿o no lo sabes? Oh, fue tentado, pero era inocente. ¿Y el Huérfano? Ese niño ni siquiera supo por qué murió. ¿Sabes lo que había en sus corazones cuando vieron volar las piedras hacia ellos? ¿Qué crees que hay en el corazón de la madre de Yitra, y por qué está llorando en este mismo momento?

—Te preguntaría de dónde viene la esperanza sino del Tiempo. Te pediría que me respondieses, pero tú ya has adoptado una decisión, total y definitiva y para siempre, y para ti el Tiempo no existe.

—¡Tendría que arrojarte abajo yo mismo, desde aquí! —siseó. Había levantado las manos para agarrarme, pero no se cerraron sobre mi garganta—. Tendría que aplastarte contra esas piedras. Carezco de escrúpulos en lo que se refiere a tentar al Señor tu Dios. Nunca los he tenido.

Retrocedió un paso, demasiado furioso para seguir hablando. Luego tomó aliento.

—Puede que seas sencillamente un fantasma creado por Su mente impasible e inmisericorde. ¿Cómo si no podrías dejar de apiadarte de Abigail cuando estaba aterrorizada en medio de aquellos niños, esperando exactamente la misma muerte que el pueblo dio a Yitra y al Huérfano? ¿Has sentido piedad por alguno de ellos en algún lugar, alguna vez?

La luz cambió. El aire empezó a agitarse.

La visión del Templo y la multitud que lo ocupaba se desdibujó y se borró, como si fuera una escena pintada sobre seda.

Me vi arrebatado por un torbellino.

De pronto estábamos juntos los dos, el de los hermosos vestidos y yo, en la cima de una montaña, tal vez la montaña más alta de la Tierra. Sólo que no se trataba de una tierra conocida.

Debajo de nosotros se extendía lo que parecía un mapa pero no lo era, sino más bien el esquema de las montañas, los ríos y valles y océanos que componen el mundo.

—Exacto —dijo, contra el suave viento—. El mundo. Lo estás viendo como yo. Un lugar hermoso que gobernar.

Calló unos momentos, como absorto en la placentera contemplación de aquella perspectiva majestuosa, y yo miré también lo que él había querido enseñarme, y luego le miré a él.

Estaba de perfil, mi perfil, con el cabello oscuro tirado hacia atrás desde los pómulos, y los ojos dulces como los míos habitualmente, y sostenía el manto a un lado con bastante gracia y soltura.

—¿Quieres de verdad ayudarles? —me preguntó. Levantó un dedo—. Digo de verdad... ¿Quieres ayudarlos? ¿De verdad? ¿O lo que pretendes es asustarlos y dejarlos en un estado mucho peor que cualquier otro profeta de los que han venido a maldecir y denunciar y proclamar que nunca se someterán a tantas indignidades?

Se volvió para mirarme con lágrimas en los ojos. Sin duda eran lágrimas muy parecidas a las que me había visto derramar sólo unos momentos antes. Se llevó las manos a la cara y luego me miró a través de aquella niebla húmeda y reluciente.

—Es cierto que tu venida se ha visto rodeada por señales y maravillas —dijo pensativo, como si esas palabras le salieran del alma—. Y vivimos en una época notable. Hay judíos en todas las ciudades del Imperio. Las Escrituras de tu Dios están en griego para que puedan leerlas en cualquier lugar donde residan y sea cual sea la escuela en la que estudien. El nombre de tu Dios sin nombre probablemente se pronuncia incluso en los rincones más lejanos del norte. Y tú eres un sucio carpintero, sí, pero eres Hijo de David, y eres listo y sabes hablar bien.

—Gracias —dije.

—Las Escrituras hablan de uno que les llevará a la independencia y el triunfo. Y tú conoces las Escrituras. Supiste cuando eras niño lo que decían, esas palabras: Cristo el Señor.

—Así fue.

—Tú puedes ayudarlos. Puedes dirigir ejércitos. Puedes activar todas esas células remotas de creyentes que esperan que venga alguien en su ayuda. Vamos, hay judíos en Roma que os meterían a ti y tu ejército dentro de los muros de la ciudad; contigo al frente, atacarían el palacio del emperador, darían muerte hasta al último senador y aniquilarían a la guardia pretoriana. ¿Me escuchas? ¿Entiendes lo que intento explicarte?

—Lo entiendo —dije—. Pero no ocurrirá.

—Pero si no me entiendes. ¡Quiero hacerte ver con toda claridad que sí es posible! Puedes hacer que todos vengan de las ciudades a las que han emigrado; puedes traer a los que viven lejos de Tierra Santa, como un gran torbellino que barrerá las costas de todos los mares.

—Te entiendo. Te he entendido desde el primer momento. Pero no ocurrirá.

—¿Pero por qué no? ¿Vas a decepcionarlos? ¿Vas a

mascullar oraciones y pronunciar sermones como tu primo, metido en el agua del río hasta las rodillas, haciendo mucho aspaviento sin sentido, y luego abandonarlos y hacer que te odien porque les has roto el corazón?

No contesté.

—Te estoy ofreciendo una victoria que tu pueblo no vive desde hace centenares de años —dijo con voz sugerente—. Si no aprovechas la ocasión, tu pueblo está acabado. El mundo se lo tragará, Yeshua bar Yosef, del mismo modo que ese viejo de Caná, el bobo de Hananel, dijo que el mundo te había tragado a ti.

No contesté.

—Hace mucho que se acabó todo para tu pueblo —prosiguió en voz baja, como extraviado en sus propios pensamientos—. Se acabó cuando Alejandro desfiló por estas tierras y trajo con él la lengua griega y el estilo de vida griego. Tu pueblo se vio aplastado cuando los romanos lo invadieron y entraron en el mismísimo Templo, y probaron con sus puños brutales que allí dentro no había nada, ¡absolutamente nada! Si renuncias a darles esta última oportunidad de agruparse detrás de un caudillo poderoso, tu pueblo no morirá de hambre y sed, ni por la espada o por la lanza. Sencillamente se desvanecerá. Lo está haciendo ya y seguirá haciéndolo, olvidará su lengua sagrada, se mezclará a través de esposas y jóvenes ambiciosos con romanos y griegos y egipcios, hasta que nadie recuerde ya la lengua de los ángeles, hasta que nadie lleve ya un nombre judío. ¿Cuánto tardará? ¿Cien años? Sin una victoria, ni siquiera tanto tiempo. Todo habrá acabado. Será como si nunca hubiera existido.

—Ah, maldito espíritu insidioso —dije—. ¿No recuerdas nada de los Cielos? Sin duda sabes que hay cosas que germinan en el útero del Tiempo y que van más allá de tus sueños, y a veces más allá incluso de los míos.

—¿Qué, qué es lo que germina? El mundo se hace más grande a cada año que pasa y vosotros os hacéis más pequeños, vuestro pueblo del Dios único, vuestro pueblo del Dios sin nombre que no tiene otros dioses delante de Él. No los habéis convertido a vuestra forma de pensar, y ellos os comen vivos. Te estoy ofreciendo la única cosa que puede salvarlos, ¿es que no lo ves? Y una vez que el mapa que han trazado los romanos para ti esté bajo tu control, podrás enseñar a todos las Leyes que Él os dio en la montaña sagrada. ¡Estoy dispuesto a poner todo eso en tus manos!

—¿Tú? ¿Tú quieres ayudarme? ¿Por qué?

—Préstame atención, bobo. Se me acaba la paciencia. Aquí no se hace nada sin mí. Nada. Ni la victoria más sencilla se alcanza si yo no formo parte de ella. Éste es mi mundo, éstas son mis naciones. ¿No vas a caer de rodillas y adorarme?

Su rostro se desdibujó. De sus ojos brotaron lágrimas de nuevo.

¿Era ése mi aspecto cuando me sentía triste? ¿Cuando lloraba?

Tiritó como si el viento de su propia invención le hiciera sentir frío. Y contempló el mundo creado por él con una mirada desesperada, llena de añoranza.

Durante un momento lo olvidé.

Olvidé por completo que estaba allí. Miré aquel panorama y vi algo, algo de lo que antes había tenido un atisbo en el estudio de Hananel de Caná, y que ahora vi con toda claridad. Altares derribados, miles y miles de altares que se derrumbaban como si un poderoso temblor de tierra los resquebrajara, y sobre ellos caían sus ídolos, mármol y bronce y oro hechos añicos, y el polvo se levantaba sobre los fragmentos esparcidos. Y parecía que el estruendo se extendía despertando ecos por todo el mundo que él había desplegado ante mí, por el mapa que había urdido en mi beneficio pero que, tal como yo lo veía, era el mundo. Todos los altares derribados.

«Cristo el Señor.»

—¿Qué? —preguntó—. ¿Qué has dicho?

Me volví a mirarlo, para apartarme de aquella visión terrible, de aquella inmensa ola de destrucción. Le vi de nuevo, vívidamente, en su atildamiento, con aquella piel no menos fina que sus costosos ropajes.

—Éstas no son tus naciones —dije—. Los reinos de este mundo no son tuyos. Nunca lo han sido.

—Por supuesto que lo son —dijo casi en un siseo—. Yo soy el amo de este mundo, y lo he sido siempre. Soy su Príncipe.

—No. Nada de esto te pertenece ni te ha pertenecido nunca.

—Adórame —repuso con amabilidad, casi con regodeo—, y te mostraré todo lo que poseo. Y te otorgaré la victoria que han anunciado los profetas.

—El Señor en las Alturas es el Único al que adoro, a nadie más. Lo sabes, sigues sabiéndolo en cada una de las mentiras que dices. Y tú no gobiernas nada, porque nada tienes. —Señalé—. Mira abajo tú mismo, desde esta perspectiva que tanto te gusta. Piensa en los miles de millares que se levantan por la mañana y se acuestan por la noche sin haber pensado nada malo ni hecho el mal a lo largo del día, aquellos cuyos corazones están volcados en sus esposas, en sus maridos, en sus padres y madres, en sus hijos, en la cosecha y en las lluvias de la primavera, en el vino joven y en la luna nueva. Piensa en ellos, en todas las tierras y en todas las lenguas, piensa en ellos porque están hambrientos de la Palabra de Dios aunque nadie la haya llevado hasta ellos, piensa en cómo se esfuerzan por conocerla, y cómo se apartan del dolor y la miseria y la injusticia, ¡a pesar de todos tus esfuerzos!

—¡Mientes! —me espetó con furia.

—Míralos, emplea esos ojos poderosos capaces de ver todo lo que te rodea. Emplea tus poderosos oídos y escucha sus risas alegres, sus canciones desprovistas de artificio. Mira a lo largo y ancho y les verás reunidos para celebrar sus sencillas fiestas, desde las profundidades de las selvas hasta las alturas cubiertas de nieve. ¿Qué te hace pensar que tú reinas sobre esa gente? Vamos, puede que uno peque, y otro vacile, y alguno esté confuso y no consiga amar como querría hacerlo, y puede que algún emisario tuyo consiga agitar las masas durante un mes de disturbios y destrozos.

»Pero, ¿príncipe de este mundo? Me reiría de ti si no fueras indecible. Eres el Príncipe de la Mentira. Y la mentira es ésta: que tú y Dios sois iguales y habéis entablado un combate sin tregua. ¡Eso nunca ha sucedido!

La furia casi le había dejado petrificado.

—¡Estúpido, miserable profeta de pueblo! —espetó—. Cómo se van a reír de ti en Nazaret.

—Es el Señor quien gobierna —dije—, y siempre lo ha hecho. Tú no eres nada, no tienes nada y no gobiernas nada. Ni siquiera tus propios enviados son tan huecos y tan furibundos como tú.

Tenía la cara enrojecida y se había quedado sin habla.

—Oh, sí que cuentas con enviados tuyos. Les he visto. Y tienes seguidores, esas pobres almas condenadas que tú exprimes en tu puño ansioso. Incluso tienes santuarios dedicados a ti. ¡Pero qué insignificantes son tus feos éxitos en este mundo vasto y vital en que crece el trigo y el sol brilla! ¡Qué baratos tus intentos de agrandar la brecha de cada pequeño desacuerdo, de alzar tu mísero estandarte sobre cada rencor surgido de una discusión, sobre cada tenue red de avaricia y corrupción! ¡Qué patético que tu única auténtica posesión sean tus mentiras! ¡Tus mentiras abominables! Y siempre, siempre procuras llevar a los hombres a la desesperación, convencerles en tu envidia y tu codicia de que tu archienemigo, el Señor, es enemigo de ellos, que Él es inalcanzable, que está situado más allá de sus dolores y necesidades. ¡Mientes! ¡Siempre has mentido! Si reinaras sobre este mundo no ofrecerías a nadie compartir ni una partícula. No podrías. No habría mundo que compartir, porque lo habrías destruido. ¡Tu verdadero nombre es *Mentira*! Y no eres nada más que eso.

—¡Para, te digo que pares! —gritó. Se tapó los oídos con las manos.

—¡Soy yo quien va a pararte! —respondí—. ¡Yo quien ha venido a revelar que tu desesperación es un fraude! Estoy aquí para dejar claro de una vez por todas que tú no eres el Rey y nunca lo has sido, que en el gran plan de la existencia no eres más que un salteador piojoso, un ladrón marginal, un merodeador que acecha con envidia impotente los campos cultivados por los hombres y las mujeres. Y voy a destruir tu reino quimérico y a destruirte a ti, porque te expulsaré, te echaré a patadas, te empujaré fuera de este mundo, y no con poderosos ejércitos y baños de sangre, no con el fuego y el terror que tanto ansías, no con espadas y lanzas ensangrentadas que rasgan la carne. Lo haré de una forma que no puedes imaginar, lo haré en familia, en el campo, en la aldea y el pueblo y la ciudad. Lo haré en las mesas de los banquetes de las viviendas más pequeñas y las mansiones más grandes. Lo haré corazón por corazón, alma por alma. Sí, el mundo está preparado. Sí, el mapa ha sido trazado. Sí, las Escrituras pueden leerse en la lengua compartida por todos. Sí. Y por esa razón voy a hacer las cosas a mi manera, y tú has vuelto una vez más, y para siempre, a luchar en vano.

Me di la vuelta y eché a andar, y mis pies encontraron un camino sólido al alejarme de él. Sopló entonces un fuerte viento que me cegó por un instante, y luego vi aparecer la ladera familiar por la que caminaba cuando él se acercó a mí por primera vez; y a lo lejos vi las manchas brumosas de verdor que anunciaban la proximidad del río.

—¡Maldecirás el día en que me has rechazado! —gritó él a mi espalda.

Sentí un mareo. El hambre me roía por dentro. Sentí vértigo.

Me volví a mirarlo. Mantenía aún la ilusión, los bellos vestidos que caían en pliegues graciosos, mientras me señalaba.

—¡Mira bien estos ropajes! —gritó, y su boca tembló como la de un niño—. Nunca te verás a ti mismo vestido de esta manera. —Gimió retorciéndose de dolor y agitó el puño en mi dirección.

Reí y seguí caminando.

De pronto volvió a aparecer junto a mi hombro.

—Morirás en una cruz romana si intentas hacer esto sin mí —dijo.

Me detuve y le hice frente.

Salió volando y fue a caer a una gran distancia, como si lo hubiera empujado una fuerza invisible. Luchó por recuperar el equilibrio.

—¡Atrás, Satanás! —dije—. ¡Atrás!

En medio de un gran remolino de viento y arena le oí gritar, y su grito se convirtió en un aullido cada vez más lejano.

Entonces llegó la tormenta de arena. Sus aullidos pasaron a formar parte de ella, parte del viento incesante.

Sentí que caía de verdad, y el acantilado apareció frente a mí mientras la arena me azotaba las piernas, las manos y la cara.

Tropecé y rodé cuesta abajo, más y más aprisa, protegiéndome la cabeza con las manos. Seguí cayendo.

Mis oídos se llenaron de viento, de sus lejanos aullidos, y luego poco a poco advertí que los ruidos que escuchaba venían del río y de un suave rumor de alas.

Oí el temblor, el aleteo, el susurro apagado del batir de alas. Sentí en todo el cuerpo el tacto suave de unas manos, incontables manos, y el roce aún más suave de unos labios: labios en mis mejillas, en mi frente, en mis párpados entrecerrados. Me abandoné a un hermoso balanceo ingrávido al ritmo de un cántico sin sonido real, que había reemplazado al viento anterior. Y así fui descendiendo con suavidad, abrazado por el cántico, arrullado por él.

—No —dije—. No.

El cántico se convirtió en un largo lamento. Era puro y triste, pero dulce hasta un punto irresistible. Poseía la inmensidad de la alegría. Y aquellos dedos amables se apresuraron a acariciar mi rostro y mis brazos quemados.

—No —murmuré—. Lo haré. Dejadme ahora. Lo haré, tal como he dicho.

Me solté de sus brazos, o ellos se apartaron tan silenciosamente como habían venido, se elevaron y marcharon en todas direcciones, dejándome solo.

Solo de nuevo.

Estaba en el fondo del valle.

Caminaba. Una correa de mi sandalia izquierda se rompió. Me quedé mirándola. Casi caí al suelo. Me agaché para recoger lo que quedaba de aquella tira de cuero. Y seguí caminando bajo una brisa ardiente.

23

Cambié varias veces de dirección, caminé sin rumbo empujado por el viento, rectifiqué, me forcé a seguir adelante.

En el horizonte movedizo aparecieron unas sombras.

Parecía un barco pequeño, y a su alrededor se movían algunas personas flotando en el aire caliente como lo harían en el mar.

Pero no era un barco, y los hombres iban a caballo.

Como empujado por el suave viento, oí aproximarse un caballo. Lo vi venir, más y más nítido.

Caminé hacia él. Oí un ruido vago y terrible a lo lejos, más allá del caballo, en la neblina que envolvía las palmeras verdes que señalaban el lugar distante del agua prometida.

El jinete se inclinó ante mí.

—Hombre santo, bebe —dijo—. Aquí.

Extendí el brazo y la bota se movió arriba y abajo y afuera, como algo que se balancea sujeto a una cuerda. Seguí caminando.

El hombre bajó de un salto de su caballo. Ricos ropajes. Anillos relucientes.

—Hombre santo —repitió. Me tomó del hombro con una mano, y con la otra llevó la bota a mis labios. Apretó el cuero. El agua fluyó en mi boca, fría y deliciosa. Se derramó por mis labios agrietados y mi pecho quemado.

Intenté agarrarla con las dos manos. Él me detuvo.

—No bebas demasiado, amigo —dijo—. No demasiado, porque estás desnutrido.

Levantó la bota: derramó agua sobre mi cabeza y yo me quedé quieto con los ojos cerrados, sintiendo aquel frescor bañar mis ojos y mis mejillas, deslizarse con un picor doloroso entre mi ropa destrozada.

Se oyó un aullido, ¡su aullido!

Me esforcé en mirar. Gotas de agua pendían de mis pestañas. No era un barco lo que había visto antes, sino la lona desplegada de una rica tienda de campaña plantada algo más lejos.

El aullido sonó de nuevo. «¡Cómo te atreves!»

—Amigo, no hagas caso —dijo el hombre que estaba a mi lado—. El grito que oyes es de mi hermana. Perdónala, hombre santo. La llevamos al Templo, por última vez, para ver si pueden ayudarla.

De nuevo sonó el aullido y se quebró en una gran carcajada ronca.

A mis oídos llegó un susurro. «¿Tú vas a expulsarme? ¿Corazón por corazón, alma por alma?»

De nuevo sonó el aullido, que esta vez desembocó en gemidos tan desgarrados y terribles que parecían el llanto de una multitud, no el de una sola persona.

—Ven a sentarte con nosotros. Come y bebe —dijo el joven.

—Déjame verla... a tu hermana.

Caminé tambaleante, y rechacé sus intentos de sostenerme.

La mujer estaba tendida en una litera junto a la tienda. Era una litera techada y cubierta con un velo, y se movía como si temblara el suelo que la sostenía.

Los gritos y los aullidos desgarraban el aire.

Otros hermanos menores vinieron a colocarse junto al mayor, que me había dado el agua.

—Te conozco —dijo uno de ellos—. Eres Yeshua bar Yosef, el carpintero. Estabas en el río.

—Y yo te conozco a ti —respondí—, Ravid bar Oded de Magdala.

Me acerqué más a la litera. Parecía increíble que un ser humano profiriera aquellos sonidos. Miré a través de la cortina de flecos que cubría la litera.

—Hombre santo, si tú pudieras ayudarla...

Fue una mujer la que habló. Se acercó acompañada por dos mujeres más jóvenes. Detrás estaban los porteadores de la litera, esclavos musculosos cruzados de brazos, y también varios sirvientes que sujetaban a los caballos embridados.

—Mi señor —dijo la mujer—, te lo ruego, pero te advierto que no está limpia.

Pasé a su lado, me detuve delante de la litera techada y aparté las cortinas.

Una flaca joven estaba tendida entre almohadones, el cuerpo envuelto en ropas de lino, el sudoroso cabello castaño pegoteado a los cojines colocados bajo su cabeza. El hedor a orina lo invadía todo.

Estaba atada desde el cuello hasta los pies con correas de cuero, los brazos extendidos en cruz, y se revolvía y tironeaba furiosa, mordiéndose brutalmente el labio inferior. Me escupió la sangre a la cara.

La sentí en la nariz y la mejilla. Luego llegó un salivazo escupido desde las profundidades de su garganta.

—¡Hombre santo! —exclamó la mujer a mi lado—. Lleva siete años en este estado. Por mi fe que nunca había habido una mujer más virtuosa en Magdala.

—Lo sé —dije—. María, madre de dos hijos que se perdieron junto a su marido en el mar.

La mujer tragó saliva y asintió.

—Hombre santo —dijo su hermano Ravid—. ¿Puedes ayudar a nuestra hermana?

La mujer de la litera tuvo una convulsión y su grito desgarró de nuevo el aire; luego vino el aullido, el mismo aullido perfecto que yo había oído en la montaña. Su aullido, que de nuevo se quebró en una carcajada.

«¿Crees que podrás quitármela? ¿Crees que después de siete años podrás hacer lo que no ha conseguido ningún sacerdote del Templo? Loco. Te escupirán por tus pretensiones, igual que te ha escupido ella.»

En un repentino espasmo de rabia, ella se incorporó, y rompió las correas que le sujetaban los brazos. Los hermanos y las mujeres se echaron atrás.

Era toda huesos y músculos, dominada por una furia fría.

Irguiéndose tanto como pudo, rompió de un tirón la atadura que le sujetaba el cuello y me dijo en tono silbante:

—Hijo de David, ¿qué tienes que ver tú con nosotros? Apártate de nosotros, déjanos.

Los hermanos estaban atónitos. Las mujeres corrieron a abrazarse.

—Nunca, mi señor, había hablado en todos estos años. Mi señor, el Maligno nos va a matar.

Las correas que rodeaban su pecho se rompieron. La litera, con todo su enorme peso, empezó a bambolearse y de pronto, con una violenta sacudida, la mujer se liberó de las correas que aún amarraban sus piernas. Se incorporó agachada y saltó, golpeó con la cabeza el techo de la litera y fue a aterrizar al aire libre, sobre la arena, donde se alzó de puntillas con la agilidad de una bailarina.

Gritó exultante y giró sobre sí misma; sus hermanos y las mujeres se apartaron, aterrorizados.

El hermano mayor, el que se había acercado a darme agua, reaccionó y corrió a sujetarla. Pero el más joven le dijo:

—Micha, deja que le hable él.

Ella se movió hacia un lado, riendo y gruñendo como un animal, y luego tropezó, sus piernas flaquearon y al intentar agarrarse a mí mostró sus brazos, cubiertos de llagas y moretones. Por un momento su rostro fue el de una mujer, y luego volvió a convertirse en el de un animal.

—¡Yeshua de Nazaret! —aulló—. ¿Pretendes destruirnos? —Se agachó y me amenazó con los puños.

—No me habléis, espíritus impuros —respondí, y me incliné hacia ella—. Yo os expulso, en el nombre del Señor de los Cielos os digo que salgáis del cuerpo de mi sierva María. Salid y marchaos lejos de este lugar. Dejadla.

Se levantó arqueando la espalda, pero otra sacudida la empujó adelante, como si estuviera atada a una cadena invisible.

De nuevo hablé:

—¡En el nombre del Cielo, salid de esta mujer!

Cayó de rodillas, jadeante y con la boca llena de babas. Se sujetó la cintura como para evitar partirse en dos. Todo su cuerpo temblaba, y cuando agitó el puño delante de mí fue como si otra persona moviera su mano y ella tratara de resistirse con todas sus fuerzas a su propio gesto.

—Hijo de Dios —balbuceó—, yo te maldigo.

—¡Salid de ella os digo, todos vosotros! ¡Yo os expulso!

Se retorció con desesperación, lanzando gritos guturales. «¡Hijo de Dios, Hijo de Dios!», repetía una y otra vez. Su cuerpo cayó hacia delante y su frente golpeó la arena. El cabello resbaló a un lado dejando su nuca al descubierto. Los sonidos que salían de su interior se debilitaron, se hicieron angustiosos, implorantes.

—¡Fuera de ella todos vosotros, uno a uno, del primero al séptimo! —exclamé. Me acerqué un poco más, de pie ante ella. Sus cabellos cubrieron mis pies, a los que ella se aferró, como si estuviera ciega y buscara un apoyo.

—¡Por el poder del Altísimo, os ordeno que me obedezcáis! ¡Dejad a esta hija de Dios tal como era antes de que entrarais en ella!

Miró hacia arriba. Extendió otra vez las manos, pero esta vez como si ella misma las moviera, y se apoyó en ellas para erguirse de pronto con la cabeza hacia atrás, como si alguien le tirara del pelo.

—¡Fuera os digo, del primero al séptimo! ¡Yo os expulso ahora!

Un nuevo chillido hizo vibrar el aire.

Y luego la mujer se quedó inmóvil.

Un estremecimiento la recorrió, largo, natural, doloroso. Y muy despacio se derrumbó y quedó tendida de espaldas en la arena, la cabeza vuelta a un lado, los ojos semicerrados.

Silencio.

Las mujeres empezaron a llorar con desesperación, y luego prorrumpieron en rezos frenéticos. Si estaba muerta, era la voluntad de Dios. La voluntad de Dios. La voluntad de Dios. Luego se acercaron, temerosas.

Cuando Ravid y Micha estuvieron junto a mí, levanté la mano y dije en voz baja:

—María.

Silencio; el murmullo del viento, el susurro de las hojas de las palmeras, el suave roce de las cortinas de seda de la litera.

—María —repetí—. Vuélvete hacia mí. Mírame.

Muy despacio, hizo lo que le pedía.

—Oh, Dios misericordioso —dijo Ravid en voz baja—. Dios querido y misericordioso, es nuestra hermana.

Estaba tendida como quien despierta de un sueño, un poco aturdida y absorta, y su mirada pasaba de uno a otro de quienes la rodeábamos.

Me arrodillé y le tendí mis brazos, y ella los tomó. La ayudé a incorporarse a mi lado. No profirió ningún sonido, pero se abrazó a mí cuando le besé la frente.

—Señor —dijo—. Mi Señor.

El ronco llanto de Ravid fue el único sonido que rompió el silencio que nos rodeaba.

Dormitaba.

Les vi y sentí sus manos, pero no opuse resistencia.

Los esclavos me lavaron con grandes cubos de agua. Noté que me quitaban las ropas viejas. Sentí cómo el agua limpiaba mis cabellos y corría por mi espalda y mis hombros.

De vez en cuando mis ojos se movían. Vi la tela dorada de la tienda flamear al viento. El baño prosiguió.

—Un poco de sopa, mi señor —dijo la mujer que estaba a mi lado—. Sólo un poco, porque vienes de un largo ayuno.

Bebí.

—Nada más. Duerme.

Y eso hice, bajo la tienda.

Llegó el frío del desierto, pero no me faltó el abrigo de ropas y mantas. Sopa de nuevo, «tómala y luego duerme». Sopa, sólo un sorbo. Y luego el runrún suave de sus voces lejanas.

Llegó la mañana.

La observé con un solo ojo desde mi almohada de seda. La vi alzarse y empujar la oscuridad más y más arriba hasta que la oscuridad desapareció y todo el mundo fue luz, y la sombra de la tienda se hizo fresca y acogedora.

Ravid estaba delante de mí.

—Mi señor, mi hermana ha pedido entrar a visitarte. Te pedimos que vengas a casa con nosotros, que nos permitas cuidarte hasta que te encuentres bien, que te instales con nosotros bajo nuestro techo, en Magdala.

Me senté. Estaba vestido con ropajes de lino, túnicas orladas con bordados de hojas y flores. Llevaba un manto blanco de tacto muy suave, con una orla gruesa.

Sonreí.

—Mi señor, ¿qué podemos hacer por ti? Nos has devuelto a nuestra querida hermana.

Tendí mis brazos a Ravid. Él se arrodilló y me sostuvo.

—Mi señor —dijo—. Ella ya se acuerda. Sabe que sus hijos han muerto, que su marido ha muerto también. Ha llorado por ellos y llorará más veces, pero es nuestra hermana.

Repitió su invitación. Apareció Micha, que también insistió.

—Estás débil, señor, estás débil por más que los demonios te obedezcan —dijo el hermano mayor—. Necesitas carne, bebida y descanso. Tú has hecho ese milagro. Deja que te agasajemos.

Micha se puso de rodillas. Llevaba en las manos un par de sandalias nuevas, provistas de hebillas brillantes, e hizo lo que estoy seguro nunca había hecho antes por otro hombre: me puso las sandalias y las abrochó a mis pies.

Las mujeres se mantenían aparte, María en medio de ellas.

Se adelantó paso a paso, como si temiera que yo le prohibiera acercarse. Se detuvo a poca distancia de mí. Tenía el sol naciente a su espalda. Se había bañado y vestía ropas nuevas de lino, con el cabello bien peinado bajo el velo que ocultaba los arañazos y moretones aún visibles en su rostro.

—Y el Señor me ha bendecido, me ha perdonado y me ha arrancado de los poderes de las tinieblas —dijo.

—Amén —respondí.

—¿Qué puedo hacer para recompensarte?

—Ve al Templo. Era el destino de vuestro viaje. Volverás a verme. Cuando necesite tu ayuda, lo sabrás. Pero ahora debo seguir mi camino. Tengo que regresar al río.

Ella no sabía lo que significaba aquello, pero sus hermanos sí. Ellos me ayudaron a ponerme en pie.

—María —le dije de nuevo, y busqué su mano—. Mira. El mundo es nuevo. ¿Lo ves?

Sonrió con discreción.

—Lo veo, Rabbí —dijo.

—Abraza a tus hermanos —la insté—. Y cuando veas los hermosos jardines de Jericó, párate a mirar las flores que te rodean.

—Amén, Rabbí —dijo.

Los sirvientes me trajeron un bulto con mis ropas gastadas y mis sandalias rotas. También me proporcionaron un bastón para caminar.

—¿Adónde te diriges? —preguntó Ravid.

—Voy a ver a mi pariente Juan hijo de Zacarías, en el río, hacia el norte. He de encontrarle.

—Camina aprisa y ten cuidado, mi señor —dijo Ravid—. El rey está muy irritado con él. Dicen que sus días están contados.

Asentí. Abracé uno por uno a los presentes, a los hermanos, a las mujeres, a los esclavos que me habían bañado. Levanté la mano para despedirme de los porteadores, que descansaban a la sombra de las palmeras.

Me ofrecieron oro, me ofrecieron comida y vino para el camino. No acepté nada, excepto un sorbo final y delicioso de agua.

Miré mi nueva túnica y mis espléndidos vestidos. Miré las elegantes sandalias. Sonreí.

—Buena ropa —murmuré—. Nunca me había visto vestido de esta guisa.

Soplaba el viento seco del desierto.

—No es nada, mi señor, es lo mínimo, menos que lo mínimo —dijo Ravid, y los demás corroboraron su opinión y la repitieron.

—Habéis sido muy generosos conmigo —dije—. Me habéis vestido adecuadamente, porque me dirijo a una boda.

—Mi señor, come poco y un bocado pequeño cada vez —dijo la mujer que me había alimentado—. Todavía estás débil y febril.

Le besé los dedos y asentí.

Eché a caminar hacia el norte.

24

Como antes, reinaba la alegría entre quienes se agolpaban junto al río, que la contagiaban a los peregrinos que iban y venían. La multitud era mayor que antes, y el número de soldados había aumentado considerablemente, con grupos de romanos aquí y allá, y muchos soldados del rey observándolo todo ociosamente, aunque nadie parecía hacer caso de ellos.

El río Jordán estaba crecido y fluía con rapidez. Nos encontrábamos al sur, muy cerca del mar.

Mi primo Juan estaba sentado en una roca junto a la corriente, contemplando a sus discípulos mientras éstos bautizaban a hombres y mujeres arrodillados.

Juan se irguió de pronto, como si una súbita visión lo arrancara de los pensamientos que lo absorbían. Yo me acercaba despacio, pasando entre la gente con la mirada fija en él.

Puesto en pie, me señaló con el dedo.

—¡El Cordero de Dios! —gritó—. El Cordero de Dios, que quita los pecados del mundo.

Fue como un toque de clarín, y todas las cabezas se volvieron.

Mi primo más joven, Juan hijo de Zebedeo, entregó a Juan la concha que sostenía.

Mi mirada se cruzó con la de Juan hijo de Zacarías por un instante. Yo la desvié despacio, con deliberación, hacia el grupo de soldados que había a mi izquierda y luego hacia los de la derecha. Juan alzó la barbilla e hizo una discreta seña de entendimiento. Lo correspondí.

Sentí un escalofrío. Se hizo una oscuridad repentina, como si las lejanas montañas se hubieran alzado hacia el cielo y ocultaran el sol. El resplandor del río desapareció. El rostro radiante de Juan se desvaneció. Mi corazón se enfrió y encogió, pero al punto volvió a calentarse y sentí sus latidos. El sol volvió a caer sobre el agua y la hizo llamear. Juan hijo de Zebedeo y otro discípulo se acercaron a mí.

La multitud mostraba de nuevo una alegría bulliciosa y se oían voces felices.

—¿Dónde te alojas, Rabbí? —preguntó Juan hijo de Zebedeo—. Soy pariente tuyo.

—Sé quién eres —dije—. Ven conmigo y lo verás. Me dirijo a Cafarnaum, y voy a alojarme en casa del recaudador de impuestos.

Seguí caminando. Mi joven primo me acosaba a preguntas.

—Mi señor, ¿qué quieres que hagamos? Mi señor, estamos a tu servicio. Dinos, señor, lo que deseas de nosotros.

Contesté a todo con sonrisas plácidas. Faltaban horas para que llegáramos a Cafarnaum.

Ahora mi hermana Salomé la Menor vivía en Cafarnaum. Había quedado viuda con un hijo pequeño, y vivía con la familia de su marido, que estaba emparentada con nosotros y con Zebedeo. Yo quería visitarla.

Pero cuando llegamos a Cafarnaum, Andrés bar Jonah, que nos había acompañado a Juan y a mí desde el Jordán, fue a contarle a su hermano Simón que había encontrado al Mesías verdadero. Se dirigió a la orilla del mar y yo le seguí. Vi a su hermano Simón, que estaba varando su barca, y con él a Zebedeo, el padre de Juan, que llevaba en su barca a Santiago, el hermano de Juan.

Aquellos hombres quedaron maravillados ante las explicaciones excitadas de Andrés.

Me observaron en silencio.

Yo esperé.

Luego dije a Santiago y Simón que me siguieran.

Obedecieron de inmediato, y Simón me rogó que fuera a su casa porque su suegra estaba enferma, con fiebres. Ya había llegado al mar la noticia de que yo había expulsado los demonios de la famosa endemoniada de Magdala. ¿Tal vez no tendría inconveniente en curar a esa mujer?

Entré en la casa y la vi tendida, lo bastante enferma para no darse cuenta de que los niños alborotaban junto a ella, hablándole de un hombre santo y de los grandes sucesos ocurridos en el río Jordán.

Le tomé la mano. Ella se volvió a mirarme, inquieta al principio porque alguien viniera a molestarla de esa manera. Luego se incorporó.

—¿Quién dice que estoy enferma? ¿Quién dice que he de guardar cama? —preguntó.

E inmediatamente se levantó y empezó a afanarse por la pequeña casa, a servirnos potaje en unas escudillas, a dar palmadas para que su criada nos trajera agua fresca.

—Mírate, qué flaco estás —me dijo—. Vaya, me pareció reconocerte cuando entraste, pensé que te había visto en alguna parte, pero nunca he conocido a nadie como tú. —Me entregó una escudilla con potaje—. Come un poco o te pondrás enfermo. Lo justo para llenarte el buche. —Miró con ceño a su yerno—. ¿Por qué decías que yo estaba enferma?

Él alzó las manos y sacudió la cabeza, maravillado.

—Simón —dije cuando nos hubimos sentado—, tengo un nuevo nombre para ti. De ahora en adelante te llamaré Pedro.

El asombro lo dejó sin palabras. Se limitó a hacer un gesto de asentimiento.

Juan se sentó a mi lado.

—¿A nosotros también vas a darnos nombres nuevos, Rabbí? —preguntó.

Sonreí.

—Eres demasiado impaciente, y lo sabes. Ten paciencia. Por el momento, a ti y tu hermano os llamaré Hijos del Trueno.

Seguí el consejo de la anciana y comí sólo un poco de potaje. A pesar de que mi cuerpo se sentía hambriento, no me pareció que necesitara más.

Estábamos todos sentados en el suelo, con las piernas cruzadas, como era habitual. De vez en cuando me olvidaba de las ropas finas que vestía, ya polvorientas. Simón dijo que tenía que marcharse a pescar. Negué con la cabeza.

—No —dije—, ahora vas a ser un pescador de hombres. Ven conmigo. ¿Por qué crees que te he dado un nombre nuevo? Nada será igual en tu vida desde ahora. No esperes que lo sea.

Me miró asombrado, pero su hermano hizo vigorosos gestos afirmativos. Me tendí y dormité mientras ellos discutían de todas aquellas cosas entre ellos. De vez en cuando les observaba, como si no pudieran verme. Lo cierto es que no podían imaginar lo que yo estaba viendo. Era como leer un libro: me estaba enterando de todo lo que quería sobre cada uno de ellos.

Puertas afuera se había reunido una multitud.

Había venido mi hermana Salomé la Menor, la más querida y próxima a mí de toda mi familia. Para mí había sido una pena muy amarga que se fuera a vivir a Cafarnaum.

Seguía aún medio dormido cuando su beso me despertó. Sus ojos eran profundos y llenos de vida, y me hablaban de una intimidad que no compartía tal vez con nadie más en el mundo, a excepción de nuestra madre. Incluso el tacto de su brazo, el contacto de su hombro, eran cosas que me traían muchos recuerdos de una ternura indecible.

Durante un largo momento, me limité a tenerla abrazada. Se echó atrás y me dirigió una mirada diferente de como había sido hasta entonces. También ella parecía perdida en el hilo de su memoria. Entonces comprendí que estaba comparando sus recuerdos con lo que veía de mí ahora, los cambios en mi expresión y mi actitud.

Entonces entró su hijo de cabello ensortijado, lleno de curiosidad —era la viva imagen de mi tío Cleofás, su abuelo—, a pesar de ser un niño de tan sólo seis años.

—¡El pequeño Tobías!

Lo besé. Le había visto un momento en la última peregrinación a Jerusalén, y parecía haber pasado una eternidad desde entonces.

—Tío —me dijo—, ¡todo el mundo habla de ti!

Había una chispa de diversión en sus ojos, tan parecidos a los de su abuelo.

—Calla ahora —dijo mi querida hermana—. ¡Yeshua, mírate! Estás en los huesos. Tu cara resplandece, pero debe de ser por la fiebre. Ven a nuestra casa y deja que te cuide, luego podrás marcharte.

—¿Cómo, y faltar al tercer día de la boda de Abigail? —Reí—. ¿Crees que voy a dejar de ir? Seguro que lo sabes todo...

—Sé que nunca te había visto como ahora —dijo—. Si no es fiebre, ¿qué es, hermano? Vamos, quédate conmigo.

—Tengo hambre, Salomé, pero he de hacer un recado. Y me llevo conmigo a estos hombres, los que están aquí a mi lado... —Dudé un instante—. Sin embargo, puedo pasar una noche aquí antes de que vayamos a la boda, y he de encontrar al recaudador de impuestos. Cenaré con él esta noche, bajo su techo. Eso no puede aplazarlo.

—¡El recaudador de impuestos! —Juan el de Zebedeo se alborotó de inmediato—. No te estarás refiriendo a Mateo, el recaudador de la aduana de esta ciudad. Rabbí, si hay un ladrón en el mundo, es él. No puedes cenar en su casa.

—¿Sigue siendo un ladrón? —pregunté—. ¿No confesó sus pecados y se bañó en el río?

—Está en su oficina, recaudando como siempre lo ha hecho —dijo Simón—. Señor, cena conmigo bajo mi techo, o cena con tu hermana. Cenaremos contigo donde tú digas, acamparemos en la orilla del mar, cenaremos en mi barca. Pero no con Mateo, el recaudador de impuestos. Todo el mundo lo verá y lo comentará.

—No le debes nada, Yeshua —dijo Salomé—. Lo haces porque nuestro querido José murió en su tienda. Pero no tienes por qué hacerlo. No hay necesidad.

—Yo sí lo necesito —repuse con suavidad. Y volví a besarla en la mejilla.

Ella apoyó la cabeza en mi pecho.

—Yeshua, hemos recibido muchas cartas de Nazaret. También nos llegan noticias de Jerusalén. Te esperan con expectación, y razón no les falta.

—Escúchame —la interrumpí—. Ve ahora y pregunta a tu suegro si os da permiso para acompañarnos a Nazaret a celebrar la boda de Rubén y Abigail. A ti y a este pequeño, Tobías, que no ha visto la casa de sus abuelos, nuestra casa. Te digo que tu suegro dirá que sí. Haz el equipaje con tus vestidos de fiesta; iremos a buscarte al amanecer.

Quiso discutir y empezó a excusarse con lo de siempre: que su suegro la necesitaba y nunca le daría permiso, pero las palabras murieron en sus labios. Rebosaba de excitación, y después de darme un último beso tomó del brazo al pequeño Tobías y ambos se marcharon deprisa.

Los demás me siguieron.

Al cruzar la puerta de la casa, encontramos a un joven que me miraba con ansiedad. Era vigoroso y venía de trabajar cubierto de polvo, pero tenía manchas de tinta en los dedos.

—Todos hablan de ti —dijo—, ribera arriba y ribera abajo. Dicen que Juan el Bautista te señaló.

—Llevas un nombre griego, Felipe —dije—. Me gusta tu nombre. Me gusta todo lo que veo en ti. Ven y sígueme.

Dio un brusco respingo. Alargó su mano hacia la mía, pero esperó a que yo se la acercara para tomarla.

—Déjame llamar al amigo que me acompaña en la ciudad.

Me detuve un momento. Vi a su amigo con los ojos de mi mente. Supe que se trataba de Nathanael de Caná, el estudiante de Hananel que había visto en casa de éste cuando fui a hablar con él. En un patio cercano, detrás de las paredes encaladas, aquel joven estaba empaquetando sus pergaminos y su ropa para el viaje de regreso a Caná. Todo este tiempo había estado trabajando en el mar, y de vez en cuando se acercaba a ver de lejos al Bautista. Su mente estaba llena de preocupaciones; pensaba que aquel viaje a casa era inoportuno, pero no podía faltar a la boda. Se sorprendió al ver llegar a Felipe corriendo mientras él luchaba con su equipaje y sus pensamientos.

Yo seguí camino abajo, maravillado de la cantidad de personas que nos seguían, de los niños que salían corriendo a vernos, de los adultos que procuraban sujetarlos al mismo tiempo que se hablaban en susurros y señalaban. Oí mi nombre. Una y otra vez, pronunciaban mi nombre.

Nathanael de Caná nos alcanzó justo cuando llegábamos delante de la oficina de la aduana, en el bullicioso lugar donde se reunían los viajeros para la inspección de las mercancías que transportaban.

Nos rodeaba una gran multitud de mirones. La gente se abría paso para verme y decir: «Sí, es el hombre que vieron en el río», o «Sí, es el hombre que expulsó los demonios de María Magdalena». Otros decían: «No, no lo es.» Algunos comentaban que estaban a punto de arrestar al Bautista por las muchedumbres que convocaba, y otros insistían en que era debido a que el Bautista había irritado al rey.

Me detuve e incliné la cabeza. Podía oír cada palabra que se pronunciaba, todas las palabras proferidas y las que estaban a punto de brotar de los labios entreabiertos. Dejé que se hiciera el silencio y escuché sólo la suave brisa que se alzaba del lejano mar centelleante.

Me llegaron sólo los sonidos cercanos: Simón Pedro contaba que yo había curado a su suegra con una simple imposición de las manos.

Volví el rostro a la brisa húmeda. Era deliciosa, ligera, cargada del aroma etéreo del agua. Mi cuerpo mortificado absorbía el agua del mismo aire. Cuán hambriento estaba.

Lejos detrás de nosotros, supe que Felipe y Nathanael

discutían, y una vez más escuché lo que no alcanzaban a oír quienes me rodeaban. Nathanael no quería venir y se negaba a que lo arrastraran contra su voluntad.

—¿De Nazaret? —decía—. ¿El Mesías? ¿Y pretendes que me lo crea? Felipe, yo vivo a un tiro de piedra de Nazaret. ¿A mí me vas a decir que el Mesías es de Nazaret? ¡Nada bueno puede salir de Nazaret! Me estás contando cosas imposibles.

Mi primo Juan había vuelto para reunirse con ellos.

—No, de verdad que lo es —declaró mi joven primo. Se mostraba tan ferviente, tan lleno de respeto como si aún estuviera bañándose en el milagroso río, bañándose en el Espíritu que había descendido sobre las aguas justo cuando los cielos se abrieron—. Es él, te digo. Yo vi cuándo fue bautizado. Y el Bautista, el Bautista mismo, dijo estas palabras...

Dejé de escuchar. Dejé que el viento engullera su discusión. Miré el lejano horizonte luminoso en que las pálidas colinas se fundían con el azul del cielo, por el que cruzaban las nubes como si fueran las velas de un navío.

Nathanael apareció frente a mí, receloso, y me miró de reojo cuando lo saludé, como si se hubiera encontrado conmigo por casualidad.

—¿Así que nada bueno puede salir de Nazaret? —le pregunté.

Enrojeció. Yo me eché a reír.

—Aquí hay un israelita que no se parece en nada a Jacob —añadí. Me refería a que no había engaño en él. Dijo lo que pensaba, sin segundas intenciones. Había hablado con el corazón. Reí de nuevo, alegre.

Cruzamos entre la aglomeración de personas que ocupaban el camino.

—¿Cómo es que me conoces? —preguntó Nathanael.

—Oh, bueno, podría decir que te conozco de la casa de Hananel, y que la última vez que me viste yo era el carpintero.

Aquello le dejó asombrado. No podía creer que yo fuera el mismo. Apenas podía recordar a aquel hombre, excepto por el hecho de que después de su visita tuvo que escribir muchas cartas para Hananel. Poco a poco empezó a conectar a aquellas dos personas, el carpintero flaco y vulgar que apareció un día y la persona a la que estaba mirando a los ojos, a mis ojos.

—Pero deja que te diga mejor aún de qué te conozco —dije—. Te he visto hace muy poco debajo de la higuera, solo y perplejo, murmurar para ti mismo al empaquetar en desorden tus libros y tu ropa para el viaje de mañana, molesto por tener que volver a casa para la boda de Rubén y Abigail cuando sabes de cierto que está a punto de ocurrirte algo mejor, algo de mayor importancia, aquí a orillas del mar.

Quedó asombrado. Por un momento se asustó. Juan, Andrés, Santiago y Felipe formaron un círculo a su alrededor. Pedro se mantuvo aparte. Todos lo miraban, incómodos. Sólo yo reí de nuevo, entre dientes.

—¿No te parece que te conozco? —pregunté.

—Rabbí, tú eres el Hijo de Dios —murmuró Nathanael—. Eres el Rey de Israel.

—¿Porque te he visto con los ojos de la mente, debajo del árbol, mientras hacías el equipaje que vas a llevar a la boda? —Pensé para armonizar mi pensamiento y mis palabras, y dije—: Amén, amén. Tú verás también el cielo abierto, como lo vio Juan. Sólo que tú no verás una paloma cuando se abra, sino a los ángeles del Señor de las Alturas que acudirán a recibir al Hijo del Hombre.

Me toqué el pecho con la mano.

Él estaba sobrecogido, y también los demás, aunque todos se sentían atrapados por una especie de fascinación colectiva, un asombro creciente.

Entramos en la oficina de la aduana.

Allí estaba sentado el rico recaudador al que había visto en el río, el hombre que tan bien me habían descrito como el que llevó en brazos a mi querido José hasta la orilla, el que se encargó de llevar hasta Nazaret el cuerpo de José para su entierro.

Me acerqué a él. Los que esperaban para despachar sus asuntos con él retrocedieron. Pronto la multitud resultó excesiva para aquel lugar, y el rumor de las conversaciones demasiado alto para una charla circunstancial. Viajeros a caballo, burros cargados de género, carros con canastos y más canastos de pescado... todos esperaban y la gente empezaba a impacientarse por tener que esperar.

Mis nuevos discípulos se apiñaron a mi alrededor.

El recaudador de impuestos escribía en su libro, con los dientes apretados, los labios fruncidos a cada nuevo trazo de la pluma. Finalmente, arrancado a disgusto de sus cálculos por el roce de un codo que no se apartaba, levantó la mirada y me vio.

—Mateo —dije y le sonreí—. ¿Has escrito con tus manos finas las cosas que José, mi padre, te contó?

—¡Rabbí! —susurró. Se puso en pie. No pudo encontrar en su mente palabras adecuadas para la transformación que veía en mí, para toda la gama de pequeñas diferencias que ahora percibía. La ropa de hilo fino era lo de menos. Para él los vestidos hermosos eran algo habitual.

No se dio cuenta de las demás personas que se agolpaban delante de él. No se dio cuenta de que Juan y Santiago hijos de Zebedeo le miraban ceñudos como si quisieran lapidarlo, ni de que Nathanael lo observaba con frialdad. Sólo tenía ojos para mí.

—Rabbí —repitió—. Si me das permiso, las escribiré, sí, todas las historias que me contó tu padre y más todavía, más incluso que lo que yo mismo presencié cuando bajaste al río.

—Ven y sígueme —dije—. He estado en el desierto durante muchos, muchos días. Cenaré contigo esta noche, y también mis amigos. Ven, prepara un festín para nosotros. Acógenos en tu casa.

Se marchó de las oficinas de la aduana sin mirar atrás. Me tomó del brazo y me condujo hasta el centro de aquella pequeña ciudad situada en la orilla del mar.

Los demás no le dirigían insultos, al estar él presente. Pero sin duda pudo escuchar algunas frases lanzadas por quienes estaban detrás de nosotros y por quienes, más alejados, nos seguían a todas partes como un pequeño rebaño.

Sin soltar mi brazo, envió a un chico a avisar a sus criados que lo prepararan todo para recibirnos.

—Pero ¿y la boda, Rabbí? —preguntó Nathanael, inquieto—. Tenemos que irnos, o no llegaremos a tiempo.

—Tenemos tiempo, por esta noche —dije—. No te preocupes. Nada me impedirá asistir a esa boda. Y tengo muchas cosas que contaros sobre lo que me ocurrió cuando estuve en el desierto. Sabéis muy bien, o lo sabréis muy pronto, lo que ocurrió cuando fui bautizado en el Jordán por mi primo Juan. Pero tengo que contaros la historia de mis días en el desierto.

25

Un atardecer violeta descendía sobre las colinas cuando llegamos a Nazaret.

Tuvimos que dar un rodeo para no ser vistos, porque ya andaban rondando las antorchas, y por todas partes se oían voces animadas. Se esperaba al cortejo del novio en menos de una hora. Los niños jugaban en las calles. Algunas mujeres ataviadas con sus mejores vestidos blancos esperaban ya con las lámparas. Otras aún recogían flores y trenzaban guirnaldas. Llegaba gente de los bosques próximos con brazadas de ramos de mirto y palma.

Encontramos la casa sumida en la confusión, por la excitación de los preparativos.

Mi madre dio un grito cuando puso sus ojos en mí, y corrió a abrazarme.

—Mira a quién te he traído —le dije, y señalé con un gesto a Salomé la Menor, que de inmediato se precipitó hecha un mar de lágrimas en brazos de su madre.

El pequeño Tobías, los sobrinos y los primos vinieron a reunirse a nuestro alrededor, los más pequeños para tocar mis nuevas ropas y todos para dar la bienvenida a quienes yo iba presentando apresuradamente.

Mis hermanos me saludaron, y todos me miraban con cierta incomodidad, sobre todo Santiago.

Todos conocían a Mateo como el hombre que había estado con ellos en el duelo por José. Nadie cuestionó su presencia, y menos que nadie mis tíos Alfeo y Cleofás, ni mis tías. Y los suntuosos vestidos que le eran habituales no provocaron miradas de recelo.

Pero no hubo más tiempo para charlar.

Llegaba el cortejo del novio.

Había que cepillar el polvo de nuestros vestidos, frotar las sandalias, lavar manos y caras, peinar y perfumar los cabellos, sacar de sus envolturas los vestidos de fiesta, el pequeño Tobías tenía que ser limpiado cuidadosamente como si fuera una col y luego vestido adecuadamente, y así nos sumimos todos en los preparativos.

Shabi entró corriendo a anunciar que nunca había visto tantas antorchas en Nazaret. Todo el pueblo estaba en la calle. Habían empezado las palmadas y las canciones.

Y a través de las paredes se oía el batir de los tamboriles y el sonido agudo de los cuernos.

Mi amada Abigail no había aparecido aún.

Finalmente salimos al patio y todos los varones nos colocamos en fila. Los pequeños sacaron de los cestos las guirnaldas exquisitamente trenzadas con hiedra y flores de pétalos blancos, y fueron colocando una guirnalda sobre cada cabeza inclinada. Yaqim estaba con nosotros. Ana la Muda resplandecía vestida de blanco, con el cabello trenzado bajo su velo de doncella y los ojos brillantes, mientras sonreía.

Pude verle la cara cuando se volvió a mirar hacia otro lado. Oí la música como la oía ella, la percusión insistente. Vi las antorchas como las veía ella, llameantes sin el menor ruido.

El crepúsculo se extinguió.

A lo largo del camino, la luz de las lámparas, velas y antorchas giraba en torbellinos y centelleaba a través de las celosías y las aberturas de los techos.

Pude oír los cánticos acompañados por la vibración de las arpas y el sonido grave de los laúdes. El crepitar de las antorchas se mezclaba con la música.

De pronto sonaron los cuernos.

El cortejo del novio había llegado a Nazaret. Él y sus acompañantes subían la colina entre alegres saludos y batir de palmas.

Más antorchas iluminaron de súbito el perímetro del patio.

Por las puertas centrales de la casa entraron las mujeres con sus ropajes de lana blanqueada adornados con cintas de colores brillantes, y los cabellos recogidos en velos de fina gasa blanca.

De pronto el gran pabellón de lino blanco festoneado con cintas fue desplegado y levantado. Mis hermanos Josías, Judas y Simón, y mi primo Silas, sujetaban los postes.

La calle delante del patio se llenó de ruidosas felicitaciones.

A la luz de las antorchas apareció Rubén, con una guirnalda en la cabeza, hermosos vestidos y la cara iluminada por tal felicidad que las lágrimas asomaron a mis ojos. Y a su lado, el leal amigo del novio, Jasón, que ahora procedía a presentarlo con voz sonora:

—¡Rubén bar Daniel bar Hananel de Caná está aquí! —proclamó—. Viene a buscar a la novia.

Santiago se adelantó, y por primera vez vi a su lado la pesada silueta de un Shemayah solemne, con la guirnalda ligeramente torcida sobre la cabeza y un vestido de boda que le quedaba algo corto debido a la anchura de sus hombros y al grosor de sus brazos.

¡Pero estaba aquí! Estaba aquí... y empujó a Santiago al frente para que fuera él quien recibiera al excitado y explosivamente feliz Rubén, que entraba en el patio con los brazos abiertos.

Ana la Muda corrió al umbral de la casa.

Santiago recibió el abrazo de Rubén.

—¡Felicidades, hermano! —dijo Santiago en voz muy alta para que lo oyeran todos los que estaban detrás de él, y en respuesta sonaron palmadas—. Nuestros más felices deseos para ti, que entras en la casa de tus hermanos a llevarte a tu pariente como novia.

Santiago se apartó a un lado. Las antorchas avanzaron hacia la puerta de la casa al tiempo que Ana la Muda indicaba por gestos a Abigail que se acercara.

Y entonces apareció ella.

Vestida con velos superpuestos de gasa egipcia, quedó expuesta a la luz de las antorchas; los velos estaban tejidos con hilo de oro, los brazos adornados con pulseras de oro, y en los dedos relucían anillos de muchos colores. Y a través de la neblina espesa y vaporosa de los blancos velos, pude ver el brillo inconfundible de sus ojos oscuros. La masa de sus cabellos se derramaba sobre su pecho bajo los velos, e incluso sus pies calzados con sandalias iban adornados con grandes joyas centelleantes.

Santiago alzó la voz:

—Ésta es Abigail, hija de Shemayah, tu pariente y tu hermana, y la tomas ahora con la bendición de su padre y sus hermanos y hermanas, para que sea tu esposa en la casa de tu padre, y para que sea en adelante una hermana para ti, y así puedan vuestros hijos ser asimismo hermanos y hermanas vuestros conforme a la Ley de Moisés, como está escrito que debe ser.

Se soplaron los cuernos, se pulsaron las arpas y los

tamboriles batieron más y más deprisa. Las mujeres levantaron en el aire los tamboriles para unirse al ritmo trepidante de los de la calle.

Rubén se adelantó y lo mismo hizo Abigail, hasta que los dos quedaron frente a frente bajo el pabellón, y por las mejillas de Rubén empezaron a correr lágrimas silenciosas cuando tocó los velos de su novia.

Santiago colocó su mano entre los dos.

Rubén empezó a hablar al rostro que ahora podía ver con claridad frente a él, detrás de la profusión de velos.

—¡Ah, mi amada! —dijo—. ¡Estabas destinada para mí desde el principio del mundo!

Santiago instó a Shemayah a que se adelantara hasta situarse junto al hombro del joven novio. Shemayah miraba a Santiago como si fuera un hombre acorralado que habría huido de poder hacerlo, pero entonces Santiago le susurró algo y Shemayah habló:

—Mi hija te es entregada desde este día y para siempre. —Y miró inquieto a Santiago, que le hizo una seña afirmativa. Entonces Shemayah continuó—: Que el Señor en las Alturas os guíe a ambos y bendiga esta noche y os otorgue felicidad y paz.

Antes de que los gritos de júbilo pudieran silenciarlo, Santiago añadió con voz firme y clara:

—Toma a Abigail como esposa de acuerdo con la Ley y las disposiciones escritas en el Libro de Moisés. Tómala ahora y condúcela a salvo a tu casa y a la casa de tu padre. Y que el Señor y la Corte celestial os bendigan en vuestro viaje a casa y a través de esta vida.

Entonces se produjo un aluvión de aplausos y vítores.

Las mujeres cerraron filas alrededor de Abigail. Jasón se llevó a Rubén fuera del patio y todos los hombres les siguieron, a excepción de mis tíos y hermanos. El pabellón fue plegado sólo lo necesario para poder atravesar la puerta de la entrada, y la novia, flanqueada por todas las mujeres de la casa, incluidas María la Menor, Salomé la Menor y Ana la Muda, avanzó sin salir del cobijo del pabellón. Una vez en la calle, el pabellón fue desplegado de nuevo en toda su anchura.

El zumbido de los cuernos se elevó sobre la vibración más rápida y aguda de las arpas. Las flautas dulces y los pífanos atacaron una melodía suave, incitante.

Toda la procesión bajó la calle, pasando delante de los portales iluminados y los rostros radiantes y las manos que aplaudían. Los niños corrían delante, algunos enarbolando lámparas sujetas a unos palos. Otros llevaban velas, y protegían las llamas de la brisa con sus pequeñas manos.

Las mujeres alzaron otra vez sus tamboriles. De los patios y umbrales de las casas salieron más personas con arpas, cuernos y tambores. Aquí y allá sonaban las notas metálicas del sistro o de unos cascabeles que se agitaban. Se oyeron voces que entonaban una canción.

Cuando la multitud llegó al camino de Caná, todos pudimos admirar el increíble espectáculo de las antorchas a uno y otro lado, señalando el camino hasta donde alcanzaba la vista. Otras antorchas venían hacia nosotros desde las laderas lejanas y cruzando los campos oscuros.

El pabellón avanzaba ahora desplegado en toda su anchura. Se lanzaban al aire pétalos de flores. La música sonó más fuerte y más rápida, y mientras la novia caminaba en medio de su falange de mujeres, con los hombres colocados a los lados, delante y detrás de ellas, comenzaron las danzas.

Rubén y Jasón bailaban a izquierda y derecha, sujetos el uno al otro por los brazos, moviendo un pie hacia un lado por encima del otro, luego de nuevo atrás, balanceándose, gesticulando, cantando al ritmo de la música, con el brazo libre alzado sobre la cabeza.

Se formaron largas hileras a ambos lados de la procesión. Me metí en una de ellas y bailé con mis tíos y hermanos. El pequeño Shabi, Yaqim, Isaac y los demás jóvenes daban saltos y volteretas en el aire, acompañados de alegres palmadas.

Y a cada paso y cada giro el camino brillaba con una luz rica e invitadora. Más y más antorchas se aproximaban. Más y más aldeanos se unían a nuestra procesión.

Y así continuó hasta que entramos en las enormes habitaciones de la casa de Hananel.

Él se levantó de su canapé en el amplio comedor para recibir a la novia de su nieto con los brazos abiertos. Dio sendos apretones de manos a Santiago y Shemayah.

—¡Entra, hija mía! —dijo Hananel—. Entra en mi casa y casa de tu esposo. Bendito el Señor, que te ha traído a este lugar, hija mía, bendita la memoria de tu madre, bendito sea tu padre, bendito mi nieto Rubén. ¡Entra ahora en tu casa! ¡Sé bienvenida, colmada de bendiciones y felicidad!

Se volvió y abrió el camino entre los candelabros encendidos, para que la novia y todas sus mujeres entraran en el comedor y las habitaciones dispuestas para ellas, en las que podrían festejar y bailar a su gusto. De las numerosas arcadas de la sala del banquete se desplegaron cortinajes de lino orlados de púrpura y oro y adornados con flecos también de púrpura y oro, para separar a las mujeres de los hombres; eran velos que permitían el paso de las risas, las canciones, la música y la alegría, pero dejaban a las mujeres la libertad de convertirse únicamente en pálidas sombras distantes de la estrepitosa diversión de los hombres.

Bajo los altos techos de la casa estalló la música. Los cuernos se entrelazaron con los pífanos, en melodías alegres puntuadas como antes por el ritmo de los tamboriles.

Se habían dispuesto grandes mesas en todas las habitaciones principales, y asientos para Shemayah y todos los hombres de la familia de su hija que habían venido con él, y para Rubén, y para Jasón, y para los rabinos de Caná y Nazaret, y para el grupo de hombres de mérito, amigos de Hananel presentes para la ocasión, a algunos de los cuales conocíamos.

A través de las puertas abiertas vimos grandes tiendas levantadas sobre la hierba verde, así como alfombras tendidas por todas partes y mesas a las que cualquiera podía sentarse, bien en taburetes o bien directamente sobre las alfombras, según la preferencia de cada cual. En medio de todo ello, los candelabros ardían con centenares de pequeños destellos.

Aparecieron suculentas bandejas de comida, y el vapor se elevaba sobre el cordero asado, las frutas relucientes, los pasteles especiados, las galletas de miel y las pilas de uvas, dátiles y nueces.

En todas partes, hombres y mujeres acudían a las tinajas repletas de agua para lavarse las manos con la ayuda de los sirvientes colocados junto a ellas.

En cada sala del banquete había siete grandes tinajas en hilera. Y otra hilera de siete había sido dispuesta en el interior de cada tienda.

Los sirvientes vertían agua sobre las manos tendidas de los invitados, les ofrecían paños de lino blanco para secarse y arrojaban el agua usada en recipientes de plata y oro.

La música y el aroma de las bandejas repletas se mezclaron, y por un momento, mientras estaba en el gran patio, en medio de todo aquello, contemplando los diversos grupos de invitados e incluso los discretos velos que nos separaban de las figuras de las mujeres que bailaban, me pareció que me encontraba en un mundo intacto de felicidad pura al que el mal ni siquiera podía aproximarse. Éramos como una gran pradera de flores de primavera mecidas por una suave brisa.

Me olvidé de mí mismo. Yo no era nada ni nadie, salvo una partícula de aquello.

Salí a través de las filas de bailarines, más allá de las mesas magníficamente dispuestas, y atisbé —como hago siempre, como siempre había hecho— las lámparas del cielo, allá en lo alto.

Me pareció que aquellas lámparas celestes eran, incluso aquí, el tesoro hondo y privado de cada alma en particular.

¿Podría yo dejar de morir? ¿Podría no disolverse esta piel, y ascender, como imaginaba a menudo, ingrávido y resplandeciente hasta donde me esperaban las estrellas?

Oh, si sólo pudiera detener el Tiempo, detenerlo allí, para siempre en medio de aquel gran banquete, y dejar que todo el mundo viniera en procesión, en el Tiempo y más allá del Tiempo, hasta este lugar; a sumarse a los bailes, al festín de estas mesas rebosantes, a reír, cantar y llorar en medio de las lámparas humeantes y las velas temblorosas. Si pudiera rescatar todo esto, en medio de esta música hermosa y embriagadora, rescatarlo todo, desde la juventud radiante hasta los ancianos con su paciencia y su dulzura, y sus brotes inesperados y arrebatadores de esperanza. Si pudiera reunirlos a todos en un gran abrazo...

Pero no iba a suceder. El Tiempo batía como baten las manos la membrana de los tamboriles, como golpean los pies el mármol o la hierba suave.

El Tiempo batía y a veces, como le dije al Tentador cuando me tentó a detener el Tiempo para siempre, en el Tiempo está el germen de cosas que aún no han nacido. Un escalofrío oscuro me recorrió, un gran frío. Pero eran sólo el escalofrío y el miedo que conoce todo hombre nacido.

No lo reprimí, no llegué a arrojarlo de mí en un momento como aquél de misteriosa alegría. Quise vivirlo, rendirme a él, alargarlo, descubrir en él lo que yo debía hacer, fuera lo que fuere, pues estaba apenas en su inicio.

Miré alrededor, las muchas caras sudorosas y sofocadas. Vi a Juan el Joven y Mateo, a Pedro, Andrés y a Nathanael, todos ellos bailando. Vi a Hananel llorar abrazado a su nieto, que le ofrecía una copa para que bebiera, y a Jasón abrazado a los dos, tan feliz y orgulloso.

Mis ojos recorrieron toda la reunión. Sin ser advertido, paseé por las distintas salas. Caminé bajo las tiendas. Crucé el patio con sus grandes velones enhiestos y sus antorchas colgadas en alto. Atisbé por encima del hombro los grupos silenciosos de mujeres reunidas al otro lado de los cortinajes.

Dejé que mi mente saliera fuera de mí y fuera allá donde el hombre no puede llegar.

Abigail, con el velo alzado ya que sólo la acompañaban los niños en la cámara nupcial, tenía los ojos cerrados, como si durmiera. Ana la Muda estaba sentada en un taburete, a sus pies.

Vi con el ojo de mi mente con la misma claridad y de forma simultánea el instante, en el patio de nuestra casa, donde Rubén le había dicho: «Mi amada, estabas destinada para mí desde el principio del mundo.»

Mi corazón se llenó de dolor; se bañó en dolor.

«Adiós, mi amada bendita.»

Dejé que la pena me invadiera y corriese por mis venas. No era pena por ella, sino por la ausencia de ella para siempre, por la ausencia de aquella intimidad, la ausencia del latido de un corazón que había sentido tan próximo a mí. Conocí la sensación de esa ausencia, y luego la besé con todo mi corazón en su frente despejada, en la imagen que yo guardaba de ella, y me despojé de aquello. «Vete —le dije a aquello—. No puedo llevarte allí donde voy. Siempre he sabido que no podría. Y ahora dejo que te marches otra vez y para siempre... Me despojo del deseo, me despojo de la añoranza, pero no del conocimiento... Nunca dejaré que el conocimiento me abandone también.»

Una hora antes del amanecer, Rubén fue conducido a la cámara nupcial.

Las mujeres ya habían llevado a Abigail al tálamo, que aparecía cubierto de flores. Velos de oro rodeaban el lecho.

Jasón abrazó a Rubén y lo despidió con una última palmada cariñosa en el hombro.

Y cuando la puerta se cerró detrás de Rubén, la música alcanzó un nuevo punto culminante, y los hombres bailaron todavía con más ritmo y energía, incluso los más ancianos se levantaron, a pesar de que algunos apenas podían bailar sin el sostén de las manos de sus hijos y nietos; y pareció que toda la casa se llenaba otra vez con los anteriores gritos de alegría, más fuertes incluso.

Todavía seguía llegando gente de los pueblos vecinos. Mostraban su rústica admiración con ojos abiertos como platos.

Fuera, en la hierba, se dispusieron mesas para los pobres de las aldeas, y les ofrecieron bandejas de pan caliente y pucheros con potaje de carne. Fueron admitidos los mendigos y los tullidos, que por lo general se reunían al otro lado de la puerta de un banquete así, con la esperanza de recibir las migajas.

Al otro lado de los velos, las mujeres que bailaban formando una larga cadena se inclinaron a la izquierda —un paso, otro paso, otro—, se detuvieron, dieron un giro sobre sí mismas y se pusieron de puntillas. Cadenas de bailarines varones pasaron delante de mí, moviéndose entre las columnas que sostenían los arcos de la sala, rodeando la gran mesa central, por detrás del orgulloso abuelo, apoyado ahora en el brazo de Jasón. Nathanael estaba sentado al lado de Hananel, y éste, a pesar de todo el vino que había bebido, asaeteaba a Nathanael a preguntas mientras Jasón sonreía y cabeceaba como si no le importara nada de todo aquello.

Aquí y allá había hombres que me miraban con curiosidad, sobre todo los recién llegados, y les oía preguntar confidencialmente: «¿Es él?»

Podría haber pasado la noche entera escuchando aquello, de haberlo deseado. Toda la noche sorprendiendo las cabezas que se volvían, las rápidas miradas furtivas.

De pronto noté que algo iba mal.

Fue como oír el primer trueno lejano de una tormenta cuando aún nadie lo ha oído. Ese momento en que uno se siente tentado a levantar el brazo y decir: «Silencio, dejadme escuchar.»

Pero no tuve que pronunciar esas palabras.

En el extremo más alejado del comedor vi a dos criados que discutían frenéticamente. Otros dos sirvientes de la casa se unieron a los anteriores. Más susurros frenéticos.

Hananel lo oyó. Hizo una seña a uno de ellos para que se acercara y le dijera al oído la causa de aquel nerviosismo.

Con aire contrariado, se volvió e intentó ponerse de pie, apartando a Jasón, que intentaba ayudarle con torpeza y sin mucha convicción. El anciano fue hacia el grupo de criados. Uno de ellos desapareció en la habitación de las mujeres, y al poco volvió de nuevo.

Más sirvientes se reunieron. Sí, algo estaba yendo mal.

Mi madre apareció por las cortinas de la sala del banquete para las mujeres. Avanzó junto a las paredes de la habitación sin ser vista, con la mirada baja, ignorando a los proverbiales borrachos que alborotaban bailando y riendo. Se dirigió a Cleofás, su hermano, que estaba sentado a la larga mesa dispuesta frente al canapé de Hananel. El propio Hananel seguía discutiendo acaloradamente con sus criados, y su cara pálida y apergaminada se iba encendiendo.

Mi madre tocó el hombro de su hermano, que se puso en pie de inmediato. Entonces vi que me buscaban a mí.

Yo estaba en el patio, en el centro mismo de la casa. Llevaba un rato ya de pie, apoyado en los candelabros.

Mi madre se acercó y me puso la mano en el brazo. Vi el pánico en sus ojos. Su mirada recorrió toda la reunión, los cientos de personas reunidas bajo el techo y en las tiendas de los jardines, que se daban recíprocas palmadas, reían y charlaban en las mesas, ajenos al grupo lejano de los criados o a la expresión de mi madre.

—Hijo —dijo—, el vino se está acabando.

La miré. Adiviné la causa, no tuvo que decírmela. La caravana que llevaba el vino al sur había sido asaltada en el camino por los bandidos. Las carretas con el vino habían sido robadas y conducidas a las colinas. La noticia acababa de llegar a la casa, cuando docenas de hombres y mujeres estaban aún llegando al banquete que iba a continuar durante todo el día siguiente.

Era un desastre de proporciones inesperadas y terribles.

La miré a los ojos. Con cuánta urgencia me imploraba.

Me incliné y coloqué mi mano en su nuca.

—Mujer —le pregunté con suavidad—, ¿qué tiene eso que ver con nosotros? —Me encogí de hombros y susurré—. Mi hora todavía no ha llegado.

Ella se apartó despacio. Me dirigió una larga mirada con una expresión curiosa, una combinación de enfado burlón y confianza plácida. Se volvió y levantó un dedo. Esperó. Al otro lado del patio, en el comedor principal, uno de los criados la vio y captó su mirada. Ella le llamó con un gesto. Él les hizo seña a todos de que se acercaran.

Hananel de pronto vio que todos sus criados se deslizaban entre la multitud para venir hacia nosotros.

—¡Madre! —susurré.

—¡Hijo! —contestó, remedando de buen humor mi tono.

Se volvió a tío Cleofás y puso una mano delicada en su hombro, y mirándome con el rabillo del ojo le dijo:

—Hermano, deja que mi hijo se encargue de todo. Ha recibido hace poco la última bendición de su padre. Recuérdaselo: «Honrarás a tu padre y a tu madre.» ¿No son ésas las palabras?

Sonreí. Me incliné a besarle la frente. Ella levantó ligeramente la barbilla y sus ojos se humedecieron, pero mantuvo la sonrisa.

Los criados nos rodearon, a la espera. Mis nuevos seguidores se habían reunido: Juan, Santiago y Pedro, Andrés y Felipe. Nunca se habían alejado mucho de mí a lo largo de la noche, y ahora vinieron a colocarse a mi lado.

—¿Qué ocurre, Rabbí? —preguntó Juan.

Lejos, vi la pequeña figura de Hananel, de pie y cruzado de brazos a la luz de las velas, que me miraba entre fascinado y perplejo.

Mi madre me señaló y se dirigió a los criados:

—Haced todo lo que él os diga.

Su expresión era amable y natural cuando levantó la mirada hacia mí y sonrió como podía haber sonreído un niño.

Los discípulos estaban confusos y preocupados.

Cleofás rio en silencio para sí mismo. Se tapó la boca con la mano izquierda y me miró con malicia. Mi madre se alejó. Me dirigió una última mirada, dulce y confiada, se retiró a la puerta que daba a la sala del banquete de las mujeres, y allí esperó, medio oculta entre las cortinas que colgaban del arco.

Vi las siete grandes tinajas de barro del patio, que contenían el agua de la purificación, para el lavatorio de las manos.

—Llenadlas hasta el borde —dije a los criados.

—Mi señor, son muchos litros. Tendremos que cargarlas entre todos para traer el agua desde el pozo.

—Entonces será mejor que os deis prisa —dije—. Llama a los demás para que os ayuden.

De inmediato cargaron la primera tinaja y se la llevaron por la parte de atrás de los comedores, en la oscuridad. Apareció otro grupo de criados que cargó con la segunda, y otro aún por la tercera, y así siguieron trabajando con rapidez, de modo que a los pocos minutos las siete tinajas estaban completamente llenas, como al principio.

Hananel lo observaba todo con atención, pero nadie le miraba a él. La gente pasaba a su lado, le felicitaba, le daba las gracias, le bendecía. Pero no se daban cuenta en realidad de que estaba allí. Muy despacio, volvió a ocupar su lugar en la mesa. Se sentó e intervino en la alegre conversación que sostenían Nathanael y Jasón. Pero sus ojos seguían fijos en mí.

—Mi señor, ya está hecho —anunció el jefe de los criados, frente a la hilera de las tinajas. Yo señalé con un gesto una bandeja vecina con copas, sólo una de las muchas que había dispuestas en las salas.

Oí en mi mente la voz del Tentador en el desierto. «¡Esa manía tuya! ¡Cómo, eso no habría sido un problema para Elías!»

Miré al jefe de los criados. Vi la tensión y casi la desesperación en sus ojos. Vi el miedo en los rostros de los demás.

—Llena ahora esta copa de la tinaja —dije—. Y llévala a Jasón, el amigo del novio que está sentado al lado del amo. ¿No es él el maestresala de la fiesta?

—Sí, mi señor —respondió el criado en tono cansado. Sumergió el catavino en la tinaja, y dejó escapar un largo suspiro de asombro.

El líquido rojo brillaba a la luz de las velas. Los discípulos vieron cómo el contenido del catavino era vertido en la copa que sostenía el criado.

Sentí en mi piel el mismo frío de la orilla del Jordán, una especie de cosquilleo agradable que desapareció con la misma rapidez y silencio con que había venido.

—Llévasela —dije al criado, y señalé a Jasón.

Mi tío parecía incapaz de reír o hablar. Todos los discípulos retenían el aliento.

El criado se apresuró a entrar en la sala del banquete y rodear la mesa. Entregó la copa a Jasón.

Atendí para que sus palabras me llegaran en medio del bullicio de la fiesta.

—Este vino acaba de llegar —dijo el criado, temblando, casi incapaz de pronunciar las palabras.

Jasón bebió un largo trago, sin vacilar.

—¡Mi señor! —dijo a Hananel—. ¡Qué espléndida idea has tenido! —Se puso en pie y bebió un nuevo sorbo de la copa—. La mayoría de las personas espera a que el primer vino haga efecto, y entonces sirve el de calidad inferior. Tú has guardado el mejor vino para el final.

Hananel lo miró perplejo. Con una vocecilla neutra, dijo:

—Dame esa copa.

Jasón no se dio cuenta de la frialdad de su tono. Quiso reanudar su discusión con Nathanael, pero éste miraba fijamente más allá de la mesa, a las personas agrupadas en el patio junto a las tinajas.

Hananel bebió. Se retrepó en su asiento. Nos miramos el uno al otro, de lejos.

Los criados se acercaban presurosos a las tinajas y llenaban de vino vasos y copas. Una bandeja tras otra circuló en dirección a las mesas del banquete y las alfombras de las tiendas.

Nadie se dio cuenta de que Hananel me miraba, a excepción de Nathanael. Éste se puso en pie muy despacio y vino hacia nosotros.

Con el rabillo del ojo, vi que mi madre abandonaba su escondite en la puerta de la sala del banquete y desaparecía detrás de los tenues velos de gasa.

El joven Juan me besó la mano. Pedro se arrodilló y lo imitó. Los demás se apiñaron para besarme también la mano.

—No, parad —dije—. No debéis hacer eso.

Me volví y, cruzando el vestíbulo, salí al jardín abierto del otro lado de la casa, lejos del bullicio. Caminé hasta llegar al extremo más alejado del huerto tapiado, desde donde alcanzaba a ver las habitaciones de las mujeres, que daban a esa parte. Las arcadas estaban iluminadas por luces oscilantes.

Todos los discípulos estaban agrupados a mi alrededor. Santiago se acercó también, y lo mismo hicieron mis hermanos menores.

Cleofás también vino a colocarse delante de mí.

Jasón, Nathanael y Mateo salieron; Mateo discutía animadamente con el joven Juan y con uno de los criados, un muchacho muy joven que, tímido, se quedó atrás, inclinó la cabeza y se retiró.

—¡Te digo que no me lo creo! —decía Mateo.

—¿Cómo puedes decir que no te lo crees? —insistió el joven Juan—. Yo lo he visto. Les he visto llevar las tinajas al pozo. Les he visto volver con las tinajas llenas. He hablado con ellos. He visto sus caras. Lo he visto. ¿Cómo puedes quedarte ahí plantado y decir que no te lo crees?

—Eso explica que lo creas tú —dijo Jasón—, pero no que nosotros tengamos que creerlo. —Se precipitó hacia mí, apartando a los otros de su camino—. Yeshua, ¿tú aseguras que has hecho esto, que has convertido siete tinajas de agua en vino?

—¡Cómo te atreves a hacerle esa pregunta! —saltó Pedro—. ¿Cuántos testigos hacen falta para que tú creas? Nosotros estábamos allí. Su tío estaba allí.

—¡Vaya, eso no me lo creo! —exclamó mi hermano Santiago—. Cleofás, ¿tú mismo has sido testigo de lo que cuenta, que todo el vino que están sirviendo ahora era agua antes de que él lo cambiara? ¡Pues te digo que no puede ser!

De pronto, todos empezaron a hablar a la vez. Sólo Cleofás callaba, y seguía mirándome atentamente.

La noche se desvanecía, y en lo alto lucía el azul intenso del amanecer. Las estrellas, mis preciosas estrellas, aún eran visibles. Y en el interior de la casa seguían los cantos y las danzas.

—¿Qué vas a hacer ahora? —preguntó Cleofás.

Pensé un largo instante y luego respondí:

—Continuaré, de sorpresa en sorpresa.

—¿Qué estáis hablando? —preguntó Santiago.

Empezaron a reñir otra vez. Jasón hizo gestos vehementes para reclamar silencio.

—Yeshua, te pido que digas a estos bobos crédulos que tú no has convertido el agua en vino.

Mi tío empezó a reír. Como siempre le ocurría, la risa empezaba en tono bajo, como un susurro que después iba ganando en intensidad. Seguía siendo una risa sorda, pero más oscura y más plena.

—Díselo —me pidió Santiago—. Nuestro joven primo se está cubriendo de ridículo con esa historia, y va a conseguir que además todo el mundo se ría de ti. Diles que eso no ha ocurrido.

—Ha ocurrido y todos lo hemos visto —dijo Pedro.

Andrés y Santiago hijo de Zebedeo apoyaron con vehemencia su afirmación. Entonces mi hermano Santiago se llevó las manos a la cabeza.

—Creo que expulsaste al diablo de esa mujer —dijo Jasón—. Creo que puedes rezar para que deje de llover, y la lluvia para. Esas cosas sí, creo en esas cosas. Pero esto no, no lo acepto.

Cleofás se me acercó.

—¿Qué vas a hacer? —dijo en voz baja, pero los demás lo oyeron—. Cuando eras niño, muchas veces me pedías respuestas. ¿Lo recuerdas?

—Sí.

—Te dije que un día las respuestas me las darías tú. Y también te dije que yo explicaría todas las cosas que sabía.

—Sí.

—Bueno, ahora te digo: tú eres el Ungido. Eres Cristo el Señor. Y debes guiarnos a todos.

Pedro, los hijos de Zebedeo y Felipe asintieron, y dijeron que ellos también lo creían así.

—Debes guiarnos ahora, no tienes otra opción —dijo Cleofás—. Debes ir delante y enfrentarte a cuantos desafíen a Israel. Debes tomar las armas, como han predicho los profetas.

—No.

—Yeshua, no puedes eludir eso —dijo Cleofás—. Yo vi y oí en el Jordán. Y he visto el agua convertirse en vino.

—Sí, has visto esas cosas —dije—, pero yo no conduciré a nuestro pueblo a la batalla.

—Pero mira a tu alrededor —terció Jasón, acalorado—. Los tiempos lo exigen. Poncio Pilatos... bueno, él fue la razón de que Juan marchase al desierto. Fue Pilatos con sus malditos estandartes. Y la Casa de Caifás, ¿qué hicieron ellos para impedir ese desastre? Yeshua, tienes que llamar a Israel a que tome las armas.

—Hermano —dijo Santiago—, es así, sin la menor duda.

—No.

—Yeshua, las palabras de Isaías dicen que debes hacerlo —me recordó Cleofás.

—No me las cites, tío. Las conozco.

—Yeshua, si lo haces —dijo Santiago—, ¿cómo podemos fracasar? Hemos de tomar las armas. Es el momento que esperábamos, por el que rezábamos. Si tú dices que has hecho...

—Oh, sé muy bien lo desilusionados que estáis todos —dije—. Y he visto en mi mente los ejércitos que podría dirigir y las victorias que podría alcanzar. ¿Cómo podéis pensar que no sé esas cosas?

—Entonces ¿por qué no aceptas tu destino? —preguntó Santiago con rencor—. ¿Por qué siempre te echas atrás?

—Santiago, ¿no comprendes lo que yo quiero? Mira las caras de los que te rodean y han visto salir el vino de las tinajas. Quiero dar un mensaje nuevo que incendie el mundo entero. Ese vino es nada menos que la sangre de mis venas. ¡He venido a mostrar el rostro del Señor a todo el ancho mundo!

Quedaron en silencio.

—El rostro del Señor —repetí. Miré intensamente a Santiago, y luego a Cleofás. Los miré a todos, uno por uno—. A todos quiero llevarles el rostro del Señor.

Silencio. Permanecían inmóviles y me miraban, emocionados pero sin atreverse a hablar.

—¿No sabéis que todas las batallas que se libran con la espada son en definitiva batallas perdidas? —pregunté—. ¿No veis vosotros mismos que las Escrituras y la historia están llenas de batallas? ¿Qué sale de las batallas? No me habléis de Alejandro ni de Pompeyo ni de Augusto, de Germánico ni de César. No me habléis de estandartes, tanto si se han izado en los muros de Jerusalén como si se han perdido en la Selva de Teutoburgo, en el extremo norte. No me habléis del rey David ni de su hijo Salomón. ¡Miradme tal como estoy aquí! Quiero una victoria que sobrepase en mucho todo lo que ha sido escrito, con tinta o con sangre.

Seguí hablando contra su silencio.

—Y habéis de confiar en mí, y en que lo haré. ¡Ya sea a través de señales y maravillas, o llamando en particular a las personas, o en respuesta a peticiones puntuales, unas triviales y otras enormes! Yo os llamo a que me sigáis. A que lo descubráis a mi lado.

No hubo respuesta.

—Empieza ahora, en esta boda —dije—. Y el vino que habéis bebido es para todo el mundo. Israel era el recipiente, sí, pero el vino fluye de ahora en adelante para todos. Oh, desearía poder señalar este momento como el del triunfo final, esta hermosa mañana con su cielo pálido y tranquilo. Desearía poder abrir las puertas para que todos beban de este vino aquí y ahora, y todo el dolor, el sufrimiento y la inquietud desaparezcan.

»Pero no he nacido para esto. He nacido para encontrar la manera de hacerlo a lo largo del Tiempo. Sí, éste es el tiempo de Poncio Pilatos. Sí, es el tiempo de José Caifás. Sí, es el tiempo de Tiberio César. Pero esos hombres no significan nada para mí. He entrado en la historia para todos los hombres. Y no voy a detenerme. Y seguiré decepcionándoos, y no sé a qué pueblo o qué ciudad me dirigiré ahora, sólo sé que iré a proclamar que el Reino de Dios ha venido a nosotros, que todos hemos de volvernos y prestarle atención, y predicaré allí donde mi Padre me diga que debo hacerlo, y encontraré ante mí el auditorio, y las sorpresas, que Él me tiene reservados.

—Nosotros vamos contigo, maestro —susurró Pedro.

—Contigo, Rabbí —dijo Juan.

—Yeshua, te lo ruego —dijo Santiago en voz baja—. El Señor nos dio su Ley en el Sinaí. ¿Qué estás diciendo, que pretendes ir a vagabundear por pueblos y ciudades? ¿A curar a los enfermos amontonados al borde de los caminos? ¿A obrar maravillas como ésta en una aldea tan diminuta como Caná?

—Santiago, te quiero —dije—. Cree en mí. Los cielos y la tierra fueron creados para ti, Santiago. Llegarás a entenderlo.

—Tengo miedo por ti, hermano —repuso.

—Yo tengo miedo por mí mismo —dije, y le sonreí.

—Estamos contigo, Rabbí —afirmó Nathanael.

Andrés y Santiago hijo de Zebedeo dijeron lo mismo. Mi tío asintió y dejó que los otros se interpusieran entre nosotros, con su clamoreo y sus brazos tendidos.

Mi madre se había acercado en algún momento mientras estábamos allí, y se mantenía apartada, escuchando quizás, o sencillamente observando. No lo supe. Salomé la Menor, mi hermana, estaba también allí, y llevaba de la mano al pequeño Tobías.

Detrás de ellos, y hacia la izquierda, en el extremo del huerto más alejado de nosotros, en medio de un bosquecillo de árboles iluminados por la luz de la mañana, una pequeña figura vuelta de espaldas se movía cadenciosamente a uno y otro lado, inclinando la cabeza cubierta por un velo.

Frágil y solitaria, la bailarina parecía saludar al sol naciente.

Salomé la Menor se adelantó.

—Yeshua, ahora tenemos que volver a Cafarnaum —le dijo—. Ven allí con nosotros.

—Sí, Rabbí, volvamos a Cafarnaum —dijo Pedro.

—Iremos contigo allá donde vayas —declaró Juan.

Pensé unos instantes y luego asentí.

—Preparaos para el viaje —dije—. Y a quienes no venís, tendremos que deciros adiós, de momento.

Santiago estaba apenado. Sacudió la cabeza, y volvió la espalda. Mis hermanos lo rodearon, perplejos y desolados.

—Yeshua —dijo Jasón—, ¿quieres que vaya yo contigo? —Su rostro estaba lleno de una urgencia inocente.

—¿Puedes abandonarlo todo y seguirme, Jasón? —le pregunté.

Se quedó mirándome, sin expresión. Luego frunció el entrecejo y bajó los ojos. Se sentía dolido y desgarrado.

Miré de nuevo hacia la pequeña figura del extremo del huerto.

Hice un gesto de que me esperaran allí y crucé el huerto en dirección a la bailarina, que seguía con la cara vuelta a la luz que llegaba de lo alto de la tapia.

Recorrí toda la longitud de la casa, pasando delante de las habitaciones de las mujeres, protegidas con cortinas. Pisé los pétalos caídos sobre los que antes habían bailado los invitados.

Me coloqué detrás de la pequeña figura, que se movía al ritmo de la percusión de unos tambores distantes.

—¡Ana! —llamé.

Se sobresaltó y se dio la vuelta. Me miró y luego sus ojos se movieron en todas direcciones, hacia los pájaros posados en las ramas de los árboles, sobre su cabeza, y las palomas que zureaban sobre el tejado. Miró la casa, llena aún de luces, movimiento y ruido, un insistente y hermoso sonido rítmico.

—Ana —repetí, y le sonreí. Me llevé la mano al pecho—. Yeshua —dije. Abrí mi mano y la apreté contra mi pecho—. Yeshua.

Posé con suavidad mi mano en su garganta.

Ella se esforzó, con los ojos muy abiertos, y por fin susurró:

—¡Yeshua! —Estaba pálida por la emoción—. ¡Yeshua! —gritó con voz ronca. Y luego, en voz alta—: ¡Yeshua! —Y lo repetía.

—Escúchame —dije, y puse la mano en su oído y luego sobre mi corazón, los viejos gestos—. Escucha Israel —dije—, el Señor es nuestro único Dios.

Empezó a pronunciar las palabras. Yo las repetí, esta

vez con los gestos que nos había visto hacer para ella cuando rezábamos todos los días. Repetí una vez más, y a la tercera vez ella recitó las palabras conmigo.

—Escucha Israel. El Señor es nuestro único Dios.

La abracé, y luego me volví para reunirme con los demás.

Y salimos al camino.

OTROS TÍTULOS DE LA COLECCIÓN
HISTÓRICA

EL CABALLERO DE ALCÁNTARA

JESÚS SÁNCHEZ ADALID

En 1568 Felipe II vive el momento más arduo de su reinado: en julio muere en Segovia su hijo Carlos, heredero del trono, y un poco después su esposa Isabel de Valois. Los conflictos en Flandes crecen, los turcos amenazan el Mediterráneo, los moriscos de Granada se rebelan y todo parece ir a peor.

Pero el monarca está dispuesto a afrontar los problemas del reino. Con el asesoramiento de sus secretarios de Estado, pone en marcha su mejor arma secreta: una red de espionaje como nunca antes se ha conocido.

Un joven caballero miembro de la Orden de Alcántara, Luis María Monroy, parte para Oriente disfrazado de mercader, con la secreta misión de entrar en contacto con el hombre más poderoso de Estambul, al que se conoce en Europa como El Gran Judío. El viaje requiere dos escalas, Venecia y Sicilia.

Esta nueva entrega de Sánchez Adalid, tan entretenida y documentada, trasladará al lector al fascinante mundo del Mediterráneo en el siglo XVI, de la mano de Luis María Monroy.

El caballero de Alcántara es un excelente relato que combina aventuras, historia, amor y política, y que sin duda entusiasmará tanto a los lectores veteranos como a los que se acerquen por primera vez a una novela de Sánchez Adalid.

AFRICANUS. EL HIJO DEL CÓNSUL

SANTIAGO POSTEGUILLO

A finales del siglo III a.C., Roma se encontraba a punto de ser aniquilada por los ejércitos cartagineses al mando de uno de los mejores estrategas militares de todos los tiempos: Aníbal. Su alianza con Filipo V de Macedonia, que pretendía la aniquilación de Roma como Estado y el reparto del mundo conocido entre Cartago y Macedonia, constituía una fuerza imparable que, de haber conseguido sus objetivos, habría cambiado para siempre la historia de Occidente. Pero el azar y la fortuna intervinieron para que las cosas fueran de otro modo. Pocos años antes del estallido del más cruento conflicto bélico que se hubiera vivido en el Imperio, nació un niño llamado a realizar grandes proezas: Publio Cornelio Escipión, hijo del cónsul de Roma durante el primer año de la guerra y de quien tomó, entre otras cosas, el nombre. El joven oficial iniciaría un camino extraño y difícil, sorteando obstáculos y opositores, y buscando alianzas imposibles. Sus hazañas le valieron el sobrenombre de Africanus, en alusión a uno de los territorios que conquistó, con enorme valor, en el campo de batalla. Pero la admiración y la gloria trajeron también la envidia.

Con «una admirable combinación de precisión histórica y ritmo narrativo», según la revista Historia National Geographic, Santiago Posteguillo recrea en *Africanus, el hijo del cónsul* la vida de un personaje apasionante.